Danger extrême

Titre original
The Hardy Boys : Undercover Brothers
 # 1 Extreme Danger

Franklin W. Dixon

Danger extrême

Traduit de l'anglais (États-Unis)
par Anna Buresi

BAYARD JEUNESSE

Joe

1. Terreur à 12 000 pieds

« Je vais mourir. »

Voilà ce que j'ai pensé lorsque j'ai tiré sur la corde de mon parachute – et qu'il ne s'est rien passé.

« Vraiment pas cool. »

Tout en dégringolant à travers le ciel, j'avais la sensation de flotter. Au-dessous, en revanche, le sol se précipitait vers moi à 200 kilomètres/heure. Pour couronner le tout, c'était mon premier saut en solo.

Et sans doute le dernier.

J'ai essayé de ne pas paniquer. J'ai regardé Wings Maletta, le moniteur de la Freedombird Skydiving School – un club de parachutisme.

Le gros barbu descendait en chute libre à dix mètres de moi. Je lui ai adressé des signes frénétiques en désignant la corde rompue de mon parachute.

Et savez-vous ce qu'il a fait ?

Il a *ri*.

Je ne plaisante pas. Il a rejeté sa grosse tête en arrière, et il a rigolé, comme le méchant d'un de ces dessins animés qui passent le samedi à la télé.

C'est là que j'ai compris.

« Il sait qui je suis. »

Au cas où vous ne l'auriez pas deviné, je n'ai rien de commun avec ces amateurs de frissons qui s'amusent à sauter du haut d'un avion. Je suis Joe Hardy, agent infiltré pour le compte d'ATAC (American Teens Against Crime : ados américains contre le crime) – et j'étais en mission. Une mission qui s'avérait plutôt dangereuse. La police avait des raisons de croire que la Freedombird Skydiving School était la couverture d'un réseau de trafiquants opérant de nuit, en avion. Wings Maletta n'était pas un véritable instructeur, mais un pirate de DVD. L'équipe d'ATAC nous avait chargés d'opérer en sous-marin, mon frère Frank et moi, pour régler l'affaire.

Pourquoi pas ? Qui serait allé soupçonner

deux ados prenant des cours de saut en chute libre ?

Wings Maletta, pardi.

Je regardai fixement le bout de corde sectionné que je tenais en main, puis le visage poilu de Wings, qui souriait de toutes ses grandes dents. Il planta ses yeux dans les miens, puis pointa son doigt vers le ciel.

Mon frère Frank était devant la porte ouverte de l'avion, debout, prêt à se lancer.

— Non, Frank ! Ne saute pas ! Non ! hurlai-je dans le micro de mon casque.

Trop tard. Il avait sauté.

— Ils en ont après nous, Frank ! criai-je. Maletta a coupé les cordes de déploiement !

Je guettai une réponse. Elle ne vint pas.

— Frank ! Tu m'entends ?

Un grésillement. Rien d'autre.

Frank m'avait-il entendu ? Avait-on aussi saboté son parachute ? Je ne savais que penser.

Ce qui était sûr, par contre, c'est que j'avais intérêt à me cramponner vite fait à Wings Maletta. Sinon, j'étais bon pour déterrer des clams aux tréfonds du fin fond du sable de la plage, tout en bas.

Or, j'ai *horreur* des clams.

Alors, tête en avant, je me suis orienté vers le

type qui voulait me tuer, en essayant de « nager » dans son sillage pour le rejoindre.

Hé, au cinéma, ça marche !

L'ennui, c'est que ce n'était pas un film. C'était la vraie vie, et je n'étais pas doublé dans les cascades.

J'avais à peine gagné un mètre cinquante qu'un courant d'air vicieux me catapulta hors trajectoire. Je me dépêchai de redresser les bras en position de plongeon, et je réussis à attraper une « lame » de vent. En un rien de temps, je me retrouvai en train de filer vers ma cible.

C'était un peu comme quand on surfe, sauf que, là, j'avalais des goulées d'air, pas de l'eau.

Et il y allait de ma vie, en plus !

Telle une fusée humaine, je visai Wings Maletta, et *vlam* ! il ne comprit même pas ce qui lui arrivait. Je rentrai dans sa grosse bedaine pleine de bière avec un petit bruit sourd, puis j'agrippai son large torse des deux bras, et me cramponnai ferme.

Wings était sonné. Si vous aviez vu sa tête ! Les yeux exorbités derrière ses lunettes, sa barbe touffue dépassant de son casque, il avait l'air d'un gros nounours déboussolé.

À cette différence près que les nounours ne décochent pas des coups de poing aux gosses qui les serrent dans leurs bras, en général.

Tchack ! L'énorme poing poilu de Wings heurta ma mâchoire, et m'envoya valser en arrière. Bon sang, *ça faisait mal* ! On avait beau être en plein jour, je vis trente-six chandelles. Des étoiles partout. Et des nuages. Et la terre aussi – en tourbillon tout autour de moi.

Il était grand temps de me ressaisir.

Déployant bras et jambes pour me stabiliser, je m'inclinai vers le bas. Wings ramena sa main vers la corde de son parachute.

Génial. Ou je me cramponnais à lui dans la seconde, ou j'allais droit à la mort. Alors ça, pas question !

Je me cabrai contre le vent tel un cheval sauvage, et me propulsai vers Wings, tête la première. De toutes mes forces, je me lançai sur lui, bras tendus.

Allez savoir comment, j'arrivai à saisir son poignet avant qu'il ait tiré la corde.

Parfait !

Sauf que Wings n'était pas d'accord. Il essaya de me chasser comme un insecte, en me flanquant des coups sur la main et en me repoussant à grandes claques.

Je battis en retraite sous les coups.

Puis ma main, accrochée à son poignet, commença à glisser. D'un centimètre. Et encore d'un autre.

Je pensai encore : «*Ressaisis*-toi !» Mais au sens littéral, cette fois : pas le moment de lâcher prise !

Tout à coup, ça grésilla dans la sono de mon casque.

— Tiens bon, Joe !

C'était Frank ! Je levai les yeux et le vis arriver. En piqué, comme un bombardier !

J'agrippai à deux mains Wings Maletta, et je me raidis par avance contre le choc.

Vlam !

En plein dans le mille. Frank s'écrasa contre nous avec une violence brutale. La collision nous culbuta tous les trois dans les airs, comme dans un numéro de voltige manqué. Frank s'était cramponné à califourchon, tandis que je me balançais, bras tendus. Et Wings ? Il ruait et braillait à chaque tour de vrille :

— Lâchez-moi, tas de morveux ! Le parachute ne peut pas nous porter tous !

Je me hissai jusqu'à ce qu'on arrête de tournoyer. Mais Wings ne cessa pas de hurler :

— Abrutis ! Quand je tirerai sur la corde, vous serez aussitôt expulsés ! Vous n'avez aucune chance !

— Ah oui ? lui lança Frank.

Il sortit une paire de sangles et nous rattacha au sac à dos de Wings.

Il faut reconnaître ce qui est : Frank est toujours paré.

Wings lâcha un soupir.

– On est quand même trop lourds ! cria-t-il.

– Contente-toi de tirer sur la corde ! répliquai-je.

Il haussa les épaules et obéit.

Tzac !

Une gigantesque secousse nous sépara de notre gros nounours d'ennemi. Frank et moi fîmes un plongeon vers le bas, puis nous remontâmes d'un coup, retenus par les sangles. Le parachute s'ouvrit au-dessus de nous, mais s'affaissa à cause du poids. Quelques secondes plus tard, nous descendions vers la zone de droppage.

L'ennui, c'est qu'on y allait trop vite.

– Je vous l'avais dit ! grogna Wings. À cette vitesse, on mourra tous les trois !

Nous l'ignorâmes. Nous grimpions aux sangles pour harponner ses jambes.

– Lâchez-moi ! brailla l'instructeur bidon, tandis qu'il essayait de nous expédier d'une ruade. Il faut bien qu'un de vous lâche prise, s'il veut sauver son frère !

Je regardai Frank dans les yeux. Je savais qu'il pensait : « Pas question. On fait équipe. »

– J'ai une autre idée, Wings, fis-je en escaladant son corps. Tu pourrais amortir notre chute.

Il poussa un juron. Imperturbable, j'enfourchai son cou épais. Puis je me penchai pour aider Frank, jusqu'à ce qu'on soit tous les deux juchés sur les épaules de Wings, nous tenant aux cordages du parachute.

– Hé, mais attendez ! Ça risque de me tuer ! protesta Wings alors que nous filions rapidement vers le terrain en contrebas. J'aurai les jambes cassées !

Je regardai Frank et haussai les épaules. Avec un sourire, mon frère répondit :

– On veut bien courir ce risque.

Nous n'étions plus qu'à quelques centaines de pieds du sol. Affolé, Wings hurla :

– Non ! Mes jambes ! Je serai écrabouillé !

– J'ai une bonne suggestion pour toi, lui annonçai-je.

– Laquelle ?

– Fais un roulé-boulé.

Wings se brisa les jambes à l'atterrissage, en effet. Ce qui l'empêcha de prendre la fuite à l'arrivée des policiers. D'en bas, ils avaient assisté à toute la scène – et demandé une ambulance pour récolter les morceaux. Une veine qu'il n'y en ait aucun étiqueté *Hardy*.

— Beau travail, les garçons ! approuva le lieutenant Jones avec un large sourire, en nous serrant les mains. Désolés de notre léger retard. Quand nous avons réalisé que votre couverture était grillée, vous étiez déjà dans le ciel avec Maletta.

— Je n'arrive pas à croire qu'il ait voulu nous tuer, dit Frank, hochant la tête.

— Ben, c'est un trafiquant, soulignai-je.

— Un pirate de DVD, spécifia Frank. C'est comme s'il nous avait infligé le supplice de la planche pour une édition clandestine de *Spiderman 6* !

J'éclatai de rire :

— Hé, on s'en est tirés !

Je lui décochai une bourrade. Frank me retourna la politesse en me faisant perdre l'équilibre.

— On vous ramène, les garçons ? demanda le lieutenant Jones, tandis qu'il ouvrait la portière de sa voiture de police.

— Non, merci. On opère en sous-marin, lui rappela Frank. Il y a des jeunes de notre lycée qui sont venus prendre un cours au club, aujourd'hui.

L'officier hocha la tête et nous dit au revoir.

Cinq minutes plus tard, nous étions pratiquement rendus à la Freedombird Skydiving

School. Nous étions éreintés. Sans parler de nos ecchymoses. Mais c'était une sensation géniale d'avoir encore réussi une mission. Wings et son réseau de contrebande étaient à l'abri derrière les barreaux. Et les frères Hardy prêts à se détendre un peu, à se la couler douce avec les copains.

Malheureusement, le premier à nous apercevoir quand nous approchâmes du club, ce fut Brian Conrad – le dernier « copain » qu'on avait envie de voir !

– Il ne manquait plus que lui, me lamentai-je. Fichue coïncidence.

– La loi des catastrophes en série, oui ! répliqua Frank.

– Hé, les Hardy ! hurla du parking notre camarade de classe pas-du-tout-préféré. Je vous ai vus ! Qu'est-ce que c'était que ce plongeon en double tandem ? Vous avez eu la pétoche, les *filles* ?

Je jetai un coup d'œil à Frank, et levai les yeux au ciel.

Que je vous dise deux mots sur Brian Conrad. Ce type est pareil qu'une chaîne de télé « tout infos » : rien que des mauvaises nouvelles, du soir au matin et du matin au soir, sept jours sur sept. S'il fallait élire « l'ado-qui-a-le-plus-de-chances-d'avoir-besoin-d'un-bon-avocat », il l'emporterait haut la main !

Évidemment, il me déteste et il déteste Frank. Au cas où vous ne l'auriez pas remarqué.

— Vous aviez la frousse, hein ? nous titilla-t-il à notre arrivée.

Je poussai un grognement.

— Ignore-le, Joe, me chuchota mon frère.

Puis, regardant Brian droit dans les yeux, il déclara :

— Nos parachutes n'ont pas fonctionné, Conrad. On a failli mourir.

— Ah ? J'ai failli te croire, répliqua Brian.

Il s'adossa à son 4x4 et cria à sa sœur, assise à l'arrière :

— Tu as entendu ça, Belinda ? Tes amoureux ont trop peur pour sauter en solo ! Quels trouillards !

Belinda foudroya son frère du regard. Elle allait parler, mais elle en fut empêchée par une voix haut perchée sortant du club :

— Trouillards ! Trouillards !

Brian Conrad s'esclaffa.

Je me tournai vers le petit bâtiment de briques en même temps que Frank, échangeant avec lui un regard intrigué. De qui pouvait-il s'agir ? La police avait embarqué tous les acolytes de Wings. Nous avançâmes jusqu'à la porte pour jeter un coup d'œil prudent à l'intérieur.

– Trouillards !

Le cri venait d'une grande cage dorée, dans un angle. Celle du perroquet apprivoisé de Wings, la mascotte officielle du club.

– Logique, marmonnai-je. Le pirate a un perroquet !

Frank entra dans la petite réception et s'approcha de la cage, câlinant de la voix l'oiseau vert et rouge :

– Pauvre bête ! Ton papa est derrière les barreaux, maintenant. Exactement comme toi.

Le perroquet inclina la tête comme s'il comprenait.

– On ferait bien de te libérer, continua Frank.

Il ouvrit la porte de la cage. L'oiseau s'envola, et voleta au ras de mes cheveux. Je me baissai vivement pour l'esquiver :

– Hé, du calme, le voltigeur !

Il décrivit plusieurs fois le tour de la pièce, puis atterrit sur le crâne de Frank.

– On dirait que tu as un nouvel ami, fis-je.

Frank leva les yeux au ciel. L'oiseau criailla.

C'est alors que Brian Conrad entra.

– Mais qu'est-ce que nous avons là ? ricana cet idiot. Un perroquet et deux poules mouillées !

Et il nous désigna, hilare.

« Bon, garde ton calme, Joe », pensai-je.

Si Frank et moi pouvions survivre à un saut en chute libre, nous pouvions aussi encaisser les vannes odieuses de Brian Conrad.

Mais bon ! Ce satané volatile était-il obligé de lui faire écho ?

– Poules mouillées ! Poules mouillées !

2. Couché !

— C'est dingue que tu veuilles garder cette bestiole, râla Joe alors que nous nous dirigions vers le parking. Il n'arrête pas de se payer notre tête !

Tenant la mascotte d'une main et la portière de l'autre, je dis :

— C'est un perroquet, Joe. Pour lui, c'est naturel. Les perroquets répètent ce qu'ils entendent. En plus, il est orphelin maintenant, le pauvre. Il lui faut un foyer.

J'installai le volatile, en douceur, à l'arrière de la vieille Volkswagen de notre tante Trudy.

Joe se glissa à l'avant, sur le siège du passager, en soupirant :

19

– Il ne pourrait pas crier : « Héros !
Héros ! » ? Qu'est-ce qu'il a à seriner :
« Trouillards ! Trouillards ! » ?

Battant des ailes, le perroquet siffla :

– Trouillards ! Trouillards !

Je rigolai, Joe poussa un gémissement.

– C'est vraiment agaçant ! fit-il.

– Ce n'est qu'un oiseau, voyons.

– Ce n'est pas de ça que je parle. Bon sang !
On saute du haut d'un avion dans des parachutes sabotés, on coince un tueur à 12 000
pieds de haut, on liquide un réseau de contrebande international… pour que ce minable de
Brian Conrad se fiche de nous.

– C'est le prix à payer lorsqu'on est infiltré,
Joe. Quant à Conrad, sois tranquille : rien ne
nous oblige à le revoir avant la rentrée
prochaine.

La Coccinelle de tante Trudy cala au premier
tour de clef. Et devinez à qui nous dûmes
demander de nous raccompagner ?

À Brian Conrad.

Voilà ce que c'est, de parler trop vite.

Il a fallu que je hèle Brian avant qu'il sorte
du parking. Inutile de préciser que Joe n'était
pas enchanté.

– OK, marmonna-t-il, j'accepte que ce

morveux nous emmène. Mais tu m'en dois une ! Et de taille !

Le 4x4 de Brian s'arrêta dans un crissement au niveau de la Coccinelle poussiéreuse de tante Trudy.

– Encore besoin de secours ? nous asticota-t-il. Et pourquoi vous roulez dans cette voiturette ?

– Nos motos sont en révision, Conrad, grogna Joe, sur la défensive.

Je conseillai à mon frère de se relaxer pendant que nous chargions nos affaires dans le 4x4 de Brian.

– Au moins, toi, tu seras à l'arrière avec ta petite amie, me chuchota-t-il.

– Arrête avec ça, Joe ! l'avertis-je, virant au rouge coquelicot.

Autant que je vous explique. Belinda, la sœur de Brian, est intelligente, drôle, blonde, belle – bref, elle a tout pour elle. Et, à la moindre occasion, elle me sourit et me touche le bras.

Le problème, c'est que, devant une fille, j'ai tendance à perdre mes moyens.

– Monte, Frank ! dit Belinda en ouvrant la portière arrière.

Et elle m'adressa un de ces sourires ! À en avoir les jambes toutes cotonneuses.

Bon, OK, mettons que c'est plus qu'une tendance.

Joe se précipita sur le siège avant, à côté de Brian. La crapule ! C'était pour le plaisir de me voir mal à l'aise à côté de Belinda !

J'essayai d'adopter un air dégagé en prenant place à l'arrière... avec un perroquet sur l'épaule.

« Vraiment le top. »

Nous bouclâmes nos ceintures, et Brian décolla du parking comme si nous étions aux 500 miles d'Indianapolis.

– Hé, on n'est pas si pressés que ça ! observai-je.

– Pardon, j'oubliais que les Hardy sont allergiques au danger, ironisa Brian, ralentissant à peine.

– Ça suffit, Brian ! intervint Belinda. Ils ont failli se tuer. J'espère que tu te sens mieux, Frank ?

Là-dessus, elle posa une main sur mon bras.

– Euh, oui... euh... bon, enfin, c'était... euh... juste un peu effrayant, balbutiai-je.

« Ce que je peux être nul ! »

J'ajoutai en m'éclaircissant la gorge :

– Y a pas de souci, je vais très bien.

Brian imita le caquètement d'une poule, ce qui attira l'attention du perroquet. Il dressa la tête et siffla. Belinda commenta avec un sourire :

— Il me plaît, ton perroquet.

J'expliquai en rougissant :

— Ils ont emmené Wings à l'hôpital, alors, on prend soin de son oiseau.

— Il a un nom ? s'enquit Belinda.

— Je ne sais pas, dis-je en haussant les épaules.

Brian glissa avec un rire mauvais :

— Wings l'appelait Tête de linotte, non ?

Le perroquet ébouriffa ses plumes et émit une sorte de pet sonore.

— Ce nom ne me plairait pas plus qu'à toi, assurai-je à mon nouvel ami.

Il me répondit par un coup de bec sur le crâne. Belinda pouffa :

— Si tu le baptisais Toctoc ?

Le perroquet gonfla le poitrail.

— Patapouf ? suggéra Joe.

— Patatras ? ricana Brian.

— Toctoc ! Patapouf ! Patatras ! criailla l'oiseau.

— Un magnéto avec des ailes ! commentai-je. Je n'ai plus qu'à mettre au rancart mon karaoké ! Avec un oiseau pareil sur l'épaule, pas besoin de playback !

Le perroquet battit des ailes avec excitation, et jasa :

— Playback ! Playback ! Playback !

— Idée ! fit Belinda en me donnant une petite tape sur le genou. Si tu l'appelais Playback ?

— Oui, super ! approuva Joe.

— D'accord, va pour Playback, conclus-je en grattant le perroquet sous le ventre.

J'ajoutai à l'intention de Belinda — une minable tentative de flirt :

— Je crois que *ton nom* lui plaît. Je veux dire... qui n'aimerait pas ce petit nom-là ?

« Ah, bravo, Frank ! T'es pas qu'un peu lamentable ! »

— Il est parfait, ajoutai-je, essayant de ne pas rougir.

Et je lui coulai un regard en coin décontracté, puis hochai la tête d'un air fin.

Sauvé !

Enfin... jusqu'à ce que le perroquet décide de faire caca sur mon épaule.

— Beurk ! grognai-je.

Ce fut un éclat de rire général. Mais bon, ils n'avaient quand même pas besoin d'en faire des gorges chaudes pendant tout le trajet !

— C'est un perroquet, Frank. Pour lui, c'est naturel, me railla Joe.

Belinda me prit en pitié, et me donna un paquet de mouchoirs. Mais j'étais plus que soulagé lorsque Brian se gara devant notre vieille maison !

— Merci, Brian, lâcha Joe.

Il descendit précipitamment pour s'élancer vers notre véranda.

N'importe qui aurait vu que Joe n'avait aucune envie de remercier Brian, pour quoi que ce fût, et qu'il n'avait qu'un désir : déguerpir.

Du coup, je me retrouvai en tête à tête avec Belinda, sur le siège arrière.

— Prends bien soin de toi, Frank, me dit-elle. Pauvre de toi ! Tu as eu une dure journée.

Et elle me donna un bisou.

Je suis sûr d'être devenu encore plus rouge que les plumes de Playback.

— Euh… bon, euh… merci, Belinda, balbutiai-je. Merci pour la balade, Brian.

Avant de m'enferrer encore plus, je partis de toute la vitesse de mes jambes, grimpai d'un bond les marches du perron et suivis Joe à l'intérieur. Je manquai de lui rentrer dedans.

Toute la famille était attablée dans la salle à manger. Les yeux braqués sur nous, maman, papa et tante Trudy nous dévisageaient d'un air bizarre, ahuri.

— C'est un perroquet ? demanda enfin maman.

– Perroquet ! Perroquet ! Perroquet ! criailla Playback.

Maman se mit à rire :

– Je suppose que ça répond à ma question. J'imagine que vous voulez le garder, les garçons ?

– Oh, on peut, M'man ? fis-je. Il a besoin d'un foyer.

Tante Trudy parut horrifiée.

– Il est propre, au moins ? s'enquit-elle.

– Évidemment, mentis-je.

Je m'en serais peut-être tiré, si Playback n'avait pas choisi ce moment précis pour déposer un petit cadeau sur mon épaule.

– Je m'en doutais ! s'écria tante Trudy. Il va faire caca partout dans notre jolie maison bien nette ! Quand j'étais petite, à la ferme, nous avions des canards, et ils ne faisaient que ça : semer des crottes !

– Ce n'est pas un canard, tante Trudy, argumentai-je. Et je promets que je nettoierai quand il faudra.

– Tout le monde ici sait bien qui se charge du ménage, bougonna-t-elle en se levant pour débarrasser. Sans parler de la cuisine pour deux garnements qui n'arrivent jamais à l'heure au déjeuner.

Joe et moi claironnâmes en chœur :

– Désolés, tante Trudy !

Maman se leva et s'approcha de moi pour câliner le perroquet :

— Il est joli, n'est-ce pas ? Très bien, tu peux le garder. Mais il est sous ta responsabilité ! Je téléchargerai des infos sur le Net pour toi, ce soir.

— Merci, M'man, fis-je en l'embrassant sur la joue.

Je jetai un coup d'œil du côté de papa. Je vis qu'il était inquiet au sujet de notre mission en plein ciel. Mais nous ne pourrions en parler que plus tard, lorsque maman et tante Trudy ne seraient plus dans les parages.

— Au fait, et les pansements que vous deviez me rapporter ? fit tante Trudy.

Ouille ! C'était pour ça qu'elle nous avait prêté sa Coccinelle.

— Hmm, toussotai-je. Pour ce qui est de ta voiture, il y a un problème, tante Trudy. Le moteur nous a lâchés.

— C'est ça, confirma Joe.

— Tiens donc ! fit-elle en secouant la tête. Vous voulez que je vous dise ? Il y a du louche là-dessous ! Je vous envoie acheter des pansements avec ma Coccinelle, et vous rapportez des contusions et un volatile. On peut savoir ce qui s'est passé, *exactement* ?

Joe et moi baissâmes les yeux vers nos jambes couvertes d'ecchymoses.

Improvisant au pied levé, Joe s'empressa de déclarer :

— On te racontera ça quand tu nous auras réchauffé les restes, tante Trudy ! Merci tout plein de t'en charger ! On se dépêche d'aller se laver les mains.

Nous lui donnâmes une bise, et nous empressâmes d'engloutir quatre à quatre les marches de l'escalier, sans lui laisser le temps de poser d'autres questions.

Comme nous atteignions le premier étage, Joe se tourna vers moi :

— Je t'ai tiré d'affaire sur ce coup-là, Frank. Tu m'en dois encore une autre.

Je lui flanquai une taloche sur la nuque et le suivis dans ma chambre.

— Où va-t-on mettre ce perroquet en attendant qu'il ait une cage ?

Joe, qui avait gagné la fenêtre, fit volte-face et commença :

— Voyons voir... Si on rapprochait deux chaises pour...

Je n'écoutai pas la suite. De l'autre côté de la vitre, un mouvement avait capté mon regard.

Une brique filait dans l'air. Droit sur notre fenêtre.

— Joe ! hurlai-je. COUCHÉ !

3. Danger extrême

« Couché ? »

Je me jetai à plat ventre.

Un quart de seconde plus tard, quelque chose fusa au-dessus de ma tête et se crasha sur le parquet. Je levai le nez pour voir ce que c'était.

« Hein ? Une brique ? »

Je me redressai lentement, à hauteur de la fenêtre, et jetai un coup d'œil dehors. En bas, le jardin était désert. L'expéditeur de la brique n'était plus là.

– Rien à l'horizon, dis-je.

– Hé, reconnais quand même que tu me dois une fière chandelle ! me lança Frank. Heureusement que je t'ai averti, sinon, tu aurais encore perdu une case !

29

– Très drôle. Puisque tu es si malin, tu aurais pu choisir autre chose que *couché*! Franchement, avec toutes ces plaisanteries sur les poules, les canards et les perroquets, j'ai failli ne rien comprendre. J'ai cru que tu me prenais pour un chien.

– Qu'est-ce que tu voulais que je dise? Courbe-toi? Fais le dos rond? Descends à un niveau moins risqué? Tu as quand même compris, non? Alors, c'est toi qui m'en dois une, cette fois!

– Mettons qu'on est quittes. Et maintenant courbe-toi, fais le dos rond – au choix. Mais ramasse cette brique.

Frank s'exécuta. La brique était tout ce qu'il y a de plus ordinaire. Sauf qu'une petite enveloppe rembourrée y était attachée.

– Qu'est-ce que c'est? fis-je. Une menace de mort de Brian Conrad? *Laisse ma sœur tranquille, ou ton perroquet mourra...*?

Frank se redressa:

– Non. C'est notre prochaine mission.

Il ouvrit l'enveloppe et en tira une liasse de billets, une réservation d'hôtel, un petit pointeur laser et un CD.

– Futé, dit Frank, faisant pivoter le CD entre ses doigts.

– Qu'est-ce qu'il est écrit sur l'étiquette? lui demandai-je.

— *Danger extrême*, répondit-il, me regardant droit dans les yeux.

— Cool. Mais pas autant que ce truc-là.

Je lui ôtai le pointeur des mains et l'allumai. Puis, le dirigeant vers le mur, j'appuyai avec mon pouce sur son extrémité. Un minuscule point lumineux dansa à travers la chambre.

Playback siffla.

Dans un battement d'ailes, il s'envola de l'épaule de Frank afin de pourchasser le point lumineux d'un côté à l'autre de la pièce. Son manège était désopilant. En faisant virevolter le laser, j'arrivais même à lui faire décrire un cercle parfait au-dessus de nos têtes !

— Bon, OK, arrête, dit Frank.

— Mais il aime ça !

— Joe !

— Oh, ça va, ça va, soupirai-je.

Le mot *rigolade* ne fait pas partie du vocabulaire de Frank ! Je braquai le rayon laser au sommet de la télé, jusqu'à ce que Playback vienne se poser sur le poste.

Il toucha le point lumineux avec la pointe de son bec, et poussa un cri strident qui me fit sursauter. Frank s'insurgea :

— Non, mais tu as vu ? Ce laser crame le mur et perce un trou dedans ! Éteins ça en vitesse !

Je relâchai la pression de mon pouce. Le point lumineux disparut, laissant une petite marque calcinée sur le mur.

— Donne-moi ça ! dit Frank en m'arrachant le pointeur, qu'il éteignit. Rends-toi utile, plutôt. Allume le lecteur.

— Mais je suis utile ! affirmai-je. J'ai découvert qu'on peut percer des trous avec le pointeur.

— C'est ça ! Et tu as failli cramer mon perroquet !

Je me mordis la lèvre pour ne pas éclater de rire. Prenant le CD, je l'introduisis dans le lecteur.

— C'est parti, fis-je.

Nous nous affalâmes sur les poufs placés devant l'écran, prêts pour notre prochaine mission.

J'appuyai sur PLAY.

L'écran devint noir. Un bourdonnement électronique s'éleva avec de plus en plus de puissance, pour finir par ressembler à celui d'un essaim d'abeilles. Soudain, le son s'interrompit sur un crépitement, et deux lames rouges s'entrecroisèrent sur l'écran en un X géant. Puis il y eut un grésillement strident – pareil à celui d'un fusible qui claque – suivi d'une énorme explosion. Le X géant se dilata en boule de feu, avec un tas de flammèches façon dessin animé.

– Géniale, cette animation ! commentai-je.

– Chuut ! s'écria Frank.

Les flammes dévorèrent l'écran, y ouvrant une ribambelle de trous où l'on voyait une collection de scénettes en boucle : des clips de gens faisant du skate, du saut à l'élastique, de l'escalade, du motocross... tout ce qu'on voudra.

– « Sports extrêmes, tonna une voix grave sur la bande-son. Reculant les limites de la virtuosité et de l'endurance humaines, les sports extrêmes déferlent sur l'Amérique comme une tempête. Cascades téméraires en skateboard, méga courses de motocross, rampes de saut pour haute voltige, plongeons trompe-la-mort à l'élastique, ce ne sont là que quelques-uns des défis excitants qui ont conquis toute une nation de jeunes et audacieux risque-tout. Les hauts sont toujours plus hauts, les bas toujours plus bas, et les dangers... extrêmes. »

– Ouaou ! Vise un peu cette rampe, Frank ! Elle a au moins un mètre cinquante de haut ! Qui est-ce qui peut...

Sur l'écran, un pilote de motocross bardé de cuir dérapa en arrière et s'écrasa au sol, tête la première.

— Mince ! Quelle dégringolade !

— Houlà ! fit Frank.

— « Les sports extrêmes sont plus populaires que jamais, continua le narrateur. Autrefois phénomène marginal, ils font aujourd'hui l'objet d'une couverture médiatique internationale. Les réunions et compétitions se multiplient un peu partout dans le monde. »

— Super. Allons-y, dis-je.

— Ne t'emballe pas, m'avertit Frank. Tu pourrais te retrouver au sommet de cette satanée rampe.

— Pff ! Un jeu d'enfant, prétendis-je.

Je reportai mon attention sur l'écran. La séquence sur les sports céda soudain la place à des scènes de rue dans Philadelphie.

— « Philadelphie, Pennsylvanie. Lieu de naissance de la Constitution des États-Unis d'Amérique, poursuivit la voix grave. "Ville de l'amour fraternel", patrie de la Liberty Bell. Fière d'accueillir les Big Air Games, le tout dernier tournoi en date des sports extrêmes, le plus important de notre pays ! Si vous êtes intéressés par ce passionnant événement estival, il reste des places disponibles. Les hôtels sont bien situés et desservis par des navettes quotidiennes pour le stade. Appelez le numéro vert qui s'inscrit au bas de l'écran.

Et demandez nos tarifs de groupe spéciaux. »

— Qu'est-ce que c'est ? fis-je en me tournant vers Frank. Une publicité ?

— Ça en a tout l'air. Il ne manque que la ritournelle.

Une autre voix s'éleva alors dans les haut-parleurs – qui semblait parodier celle du narrateur :

— « Toutefois, si vous désirez assister aux Big Air Games comme agent infiltré, appuyez sur la touche CONTINUE, et vous serez briefé sur votre mission. »

— Nous y voilà ! dis-je.

Je saisis la télécommande pour appuyer sur la touche indiquée.

— Il y en a qui ont le sens de l'humour, au siège d'ATAC, commenta Frank.

Les séquences de rue disparurent. Une carte détaillée de Philadelphie emplit l'écran.

— « Salut, les garçons ! reprit la deuxième voix. Désolé pour cette introduction ! Mais je voulais que vous voyiez l'annonce du syndicat d'initiative pour les Big Air Games. Nous vous avons acheté des billets pour toutes les compétitions et réservé une chambre au Four Seasons Hotel, à Philadephie. »

Un carré jaune localisa l'hôtel sur la carte.

— « Certains de nos meilleurs champions des

sports extrêmes qui participent à ce tournoi sont descendus dans votre hôtel. Vu l'importance de l'événement, nous multiplions les mesures de précaution. Dans une période aussi dangereuse que la nôtre, il importe d'être toujours prêt à toute éventualité. En tant qu'ados, vous accéderez à plus d'informations que la police. Fondez-vous dans le décor, mêlez-vous aux fans et aux athlètes. Mais ouvrez sans cesse les yeux et les oreilles ! »

« Ça va être génial ! » pensai-je.

Frank ne parut pas aussi excité que moi :

– On va juste regarder d'autres jeunes en train de prendre des risques ? On ne peut pas appeler ça une mission !

– « Une dernière chose, les garçons, reprit la voix. Nous avons des raisons de croire que plusieurs menaces ont été portées à l'encontre des participants. Certains skaters affirment avoir vu des messages bizarres sur un site des sports extrêmes. Le FBI effectue un contrôle, mais, comme il existe des milliers de sites de ce genre, ça peut prendre des mois ! Posez des questions autour de vous. Rassemblez le plus d'informations possible. Je vous suggère de préparer vos sacs et de partir immédiatement. »

Je décochai un coup d'œil à Frank, qui poussa un soupir.

– « Comme toutes les autres, cette mission est top secret, continua la voix. Dans cinq secondes, ce disque sera reformaté en CD musical ordinaire. Cinq, quatre, trois, deux, un ! »

La musique des Beastie Boys retentit dans les haut-parleurs.

Elle était si tonitruante qu'elle effraya Playback. Il battit des ailes, décolla et vint atterrir sur l'épaule de Frank. Il avait l'air un peu secoué. Mais, un petit moment plus tard, il se balançait au rythme du rap – et sifflait les paroles :

– « Party ! Party ! Party ! »

Frank s'approcha de l'ordinateur, l'alluma et se connecta à Internet.

– Qu'est-ce que tu fais ? demandai-je. On est censés partir sans traîner.

– Je veux fouiner un peu sur quelques sites. Ça ne prendra pas longtemps.

– Tu rigoles ou quoi ? Les agents du FBI recherchent ces menaces jour et nuit, et tu t'imagines que tu vas les trouver en un temps record ?

– Hé, je suis le Maître des Recherches, non ? dit-il en se tapotant le crâne avec l'index. Mes talents de dénicheur sur le Web sont sans égal… maman mise à part, peut-être. Mais elle est bibliothécaire, ça fait partie de son job.

– J'aimerais qu'on puisse lui demander un coup de main de temps à autre.

– N'y pense même pas ! On est des agents infiltrés, non ? On doit se débrouiller par nous-mêmes.

Pendant que Frank lançait sa recherche, j'allai demander à papa s'il voulait bien nous emmener au garage, pour qu'on récupère nos motos. Je le trouvai seul dans le séjour.

– Une autre mission ? Déjà ? me chuchota-t-il en levant les yeux de dessus son journal. Vous ne m'avez même pas encore raconté la dernière !

– On te mettra au courant tout à l'heure, en voiture. Ne te fais pas de souci, papa, ajoutai-je devant son air inquiet.

Puis je tournai les talons et remontai à l'étage. Les paupières plissées, le regard braqué sur l'écran, Frank n'avait pas bougé de sa place.

– As-tu trouvé quelque chose, ô Grand Maître des Recherches ? lançai-je.

– Peut-être. Regarde ça.

Je me penchai par-dessus son épaule – l'épaule *sans* perroquet – et examinai l'écran. Dans une longue fenêtre étroite, une liste d'envois s'étirait. Je commençai à les parcourir. Un tas d'internautes étaient excités par les Big Air Games, apparemment.

— Oui, et alors ? fis-je.

— Lis le message de 4567TME, insista Frank, et il l'énonça à haute voix : *Toi le dingue de sports extrêmes, j'espère que tu connais par cœur le numéro du Samu.*

Je haussai les épaules :

— 4567TME n'a pas tort. Les sports extrêmes *sont* dangereux. La plupart de ces athlètes atterriront tôt ou tard à l'hôpital.

— Possible. Mais il pourrait s'agir d'une menace, non ? Peut-être que 4567TME a dans l'idée de les y expédier lui-même. Plus *tôt* que tard.

Je levai les yeux au ciel :

— Franchement, tu fais toute une histoire d'un rien ! En réalité, tu déprimes parce qu'on n'a pas de mission précise. Ni trafiquants à mettre à l'ombre, ni pilleurs de coffres à attraper. Je parie que tu as peur de décompresser et de t'amuser... pour une fois.

— Tu as peut-être raison, soupira Frank, éteignant l'ordinateur.

— Je suis sûr d'avoir raison ! On part quasiment en vacances, je te dis ! Alors, prépare-toi à surclasser les champions sur les méga rampes avec ton frère, OK ?

Frank sourit :

— OK.

Je me mis à remplir mon sac de vêtements,

chaussettes, sous-vêtements. Frank se leva, s'approcha du lecteur, appuya sur la touche EJECT, et récupéra le CD.

— Pourquoi fixes-tu ce disque comme ça ? lui demandai-je.

— Je n'en sais rien. Je m'interroge, c'est tout. Si cette mission n'est qu'une partie de plaisir, pourquoi s'appelle-t-elle *Danger extrême* ?

Je ne sus que répondre. À l'inverse de Playback :

— Danger ! Danger ! Danger !

4. Mises en garde

Traitez-moi de parano si vous voulez, mais je ne pouvais m'empêcher de penser qu'il ne fallait pas s'en tenir aux apparences, en ce qui concernait cette mission.

Extrême Danger.

Ces mots me faisaient l'effet d'un panneau de signalisation routière. Du genre : CHAUSSÉE GLISSANTE, ou : ATTENTION, CHUTE DE PIERRES !

J'avais vraiment envie de fouiner encore un peu en ligne, d'explorer d'autres sites des sports extrêmes ; alors, je flanquai mon ordinateur portable dans mon sac, avec mes vêtements.

– Prêt ? lançai-je à Joe qui entrait dans ma chambre, lesté de son sac à dos et de son casque de moto.

– Oui. Papa nous emmène en voiture au garage.

– Tu l'as mis au courant, pour notre mission ?

– Pas encore. Prépare-toi à l'interrogatoire du maître.

Joe ne plaisantait pas. Notre père, Fenton Hardy, était autrefois un des meilleurs enquêteurs du Département de la Police de New York. Il était capable d'arracher une confession à n'importe qui : truands, faussaires, voleurs de bijoux, et même – oui ! – ses propres fils. Il avait eu plus que sa part de danger. Pourtant, quand il savait à quoi on s'exposait, il s'inquiétait. Je dis à mon frère :

– On ne devrait pas lui parler de notre petit incident aérien.

– Sûrement pas ! Ça le ferait paniquer !

– OK. Alors, voilà notre version de l'histoire : nous avons trouvé les DVD pirates et remis les preuves à la police, qui a arrêté Wings après le saut en parachute. Pas d'anicroche. Pas de mauvaise surprise. Vu ?

– Vu.

Je tirai la fermeture à glissière de mon sac à

dos, pris mon casque et suivis Joe au rez-de-chaussée. Maman et papa étaient dans le salon, devant les infos de dix-huit heures à la télévision.

— On peut y aller, papa ! annonça Joe.

— Aller où ? fit maman.

Elle leva les yeux et fronça les sourcils. L'air nerveux, papa expliqua :

— Eh bien, ma chérie, je... euh, j'ai autorisé les garçons à partir quelques jours en balade à Philadelphie.

— Ah ? Puis-je me permettre de demander quel est le but de cette « balade » ?

J'improvisai un mensonge en vitesse :

— On doit étudier la naissance de la démocratie américaine en cours d'histoire, à la rentrée. On s'est dit qu'on pourrait commencer par une visite éducative à Philadelphie.

— Éducative ? répéta maman.

— Oui, M'man, soutint Joe. J'ai toujours eu envie de voir la Liberty Bell. Cette cloche est quand même un des grands symboles de notre pays !

— Hmm, hmm, toussota maman, soupçonneuse. Et cette visite n'a rien à voir avec les Big Air Games qui ont lieu à Philly, cette semaine ?

Elle désigna la télévision. Un journaliste interviewait un groupe de champions ; en arrière-plan, des skaters «zippaient» à toute vitesse de haut en bas d'une rampe.

De toute évidence, maman avait appris une ou deux astuces, à force de côtoyer papa !

— Euh, eh bien, lâchai-je, effectivement – si on a le temps ! – on fera *peut-être* un tour au tournoi.

Maman hocha la tête en soupirant.

— Soit, c'est d'accord. Mais n'allez pas vous fourrer je ne sais quelles folies en tête avec ces sports extrêmes ! Je ne veux pas que vous preniez des risques pareils ! Je ne veux pas non plus que vous rouliez à moto après le crépuscule. C'est trop dangereux !

— Y a pas de souci, M'man. Il ne fera pas noir avant deux bonnes heures, lui assura Joe.

Papa se leva pour prendre ses clefs de contact dans le vestibule :

— Bon, les garçons, si vous voulez rejoindre Philadelphie avant la nuit, vous feriez bien de vous mettre en route.

Nous prîmes nos affaires, et nous dirigeâmes vers le seuil. Une voix familière, derrière nous, nous figea sur place :

— Ces jeunes gens n'iront nulle part !

Nous fîmes volte-face. Tante Trudy était plantée dans la salle à manger, deux assiettes pleines au bout des bras.

– Parfaitement ! continua-t-elle. Ces garçons n'iront nulle part avant d'avoir dîné. Ils sont en pleine croissance, ils ont besoin de se nourrir.

Je cherchai à l'amadouer :

– Merci d'avoir pensé à nous. Tu es adorable, tante Trudy. Mais on doit se dépêcher de partir. Tu ne veux quand même pas qu'on roule de nuit !

– Non, je suppose que non, dit-elle en rajustant ses lunettes. Mais je vais vous emballer un en-cas. Il y en a pour une minute.

– On n'a vraiment pas le temps, tante Trudy ! Il faut qu'on y aille. Tout de suite.

– Pourquoi tant de hâte ? soupira-t-elle. Qu'est-ce qui vous attend à Philadelphie ?

– La Liberty Bell, Trudy, glissa maman. Les garçons vont apprendre que la cloche s'est fêlée en 1753, le jour même où elle a sonné pour la première fois. Et que la note qu'elle produit est un mi bémol.

Elle nous adressa un clin d'œil. Maman est plutôt cool, pour une bibliothécaire !

Mais tante Trudy n'en avait pas terminé :

– Et ma Coccinelle ?

– Je dirai aux types du garage de s'en occuper, glissa papa.

« Ouf ! »

— Et ce fichu perroquet ? s'obstina tante Trudy. Il n'a même pas de cage ! Il va faire caca dans toute la maison !

Avec mon sourire le plus angélique, je lui demandai d'une voix caressante :

— Oh, s'il te plaît ! Tu crois que tu pourras t'en occuper pendant qu'on sera partis ?

Elle s'attendrit aussitôt.

— Bon, très bien, je lui donnerai à manger. Mais il n'est pas question que je nettoie ses saletés !

— Je t'adore, tantine ! fis-je en lui donnant un bisou.

Puis nous étreignîmes maman et nous gagnâmes la porte :

— Salut !

Tante Trudy cria derrière nous :

— Pensez à me rapporter les pansements !

Une fois dans la voiture de papa, je poussai un grand soupir de soulagement.

— Ouf ! chuchotai-je à Joe. Je suis content que tout soit réglé.

J'avais encore parlé trop vite.

— Bon, les garçons, dit papa en quittant notre allée d'accès, parlez-moi de votre dernière mission.

C'était une fois de plus le moment de débiter un ou deux petits mensonges pieux. Or, papa est plus difficile à rouler dans la farine que maman et tante Trudy ! Prenant une profonde inspiration, je lui servis la version édulcorée de notre mission aérienne. Il m'écouta en silence, jusqu'à ce que j'aie fini. Puis :

— Ton histoire est intéressante, Frank. Mais tu as oublié ce qui concerne ces cordes sectionnées.

J'en restai bouche bée.

— Comment as-tu su… ?

— Le lieutenant Jones est un vieil ami. Nous étions ensemble dans la police de New York. Il m'a tout raconté. Contrairement à toi.

Je me sentis rougir.

— On a horreur de te mentir, papa, mais…

— … on a eu peur que tu paniques, lâcha Joe.

Papa nous regarda à travers le rétroviseur.

— Écoutez, quand j'ai démarré American Teens Against Crime, après mon départ de la police, je savais que cela impliquerait des risques. Mais je savais aussi que vous étiez capables de faire attention à vous… et de veiller l'un sur l'autre.

Joe me décocha un coup de coude. Je lui rendis la pareille.

— J'ai toujours été impressionné par votre travail de détectives amateurs, il y a quelques années. Au poste, les gars vous avaient baptisés les « Sherlock Brothers » de Bayport. Vous avez élucidé des affaires importantes. Des cas que la police n'arrivait pas à résoudre. Et vous avez eu affaire à des criminels de taille. Bien sûr que j'étais inquiet ! Mais il n'y avait pas plus fier que moi.

— Merci, papa, dis-je avec un sourire.

Cependant, son expression se modifia, et il continua d'une voix un peu plus basse :

— Mais aujourd'hui… je ne sais plus… Nous vivons dans un monde si dur ! Demander à des jeunes comme vous d'infiltrer le milieu, c'est peut-être aller trop loin. Le danger est tout simplement trop grand. Depuis que je suis en semi-retraite, je ne peux plus veiller sur vous d'aussi près, les garçons.

— Mais, papa, toute l'équipe d'ATAC s'occupe de nous !

— Oui, papa, on est protégés, enchérit Joe.

Papa eut un profond soupir.

— Vous avez sûrement raison, concéda-t-il. N'empêche… on ne peut pas reprocher à un père de s'inquiéter pour ses gosses. Surtout quand ils sautent du haut d'un avion et arrêtent des trafiquants.

— Tout ce qu'on adore ! lança Joe.

Papa pouffa.

— Bon, parlez-moi de cette nouvelle mission.

Que se passe-t-il aux Big Air Games ? Les champions se dopent ? Soudoient les juges ?… Quoi ?

– Si seulement on avait quelque chose d'aussi précis ! m'écriai-je.

Nous lui expliquâmes de quoi il retournait.

– En fait, ils veulent qu'on garde l'œil sur les autres jeunes, résuma Joe.

– On n'est que des baby-sitters en sous-marin, soupirai-je.

– N'en sois pas si sûr, Frank ! me dit papa. Ceux d'ATAC ne vous enverraient pas là-bas s'ils n'avaient pas repéré quelque chose de louche. Alors, soyez sur vos gardes ! Amusez-vous aussi… mais sans exagérer. Et n'oubliez pas ma devise !

Nous chantonnâmes en chœur :

– Soupçonner *tout le monde* !

– C'est bien.

Papa quitta la nationale pour se garer devant Bayport Auto Garage.

– Allez les chercher, dit-il.

Nous descendîmes en vitesse et courûmes vers le garage. Nous avions hâte de voir nos motos ! Butch, le chef mécanicien moustachu, nous avait promis de les améliorer avec quelques nouveautés techniques.

– Salut, les frangins ! nous lança-t-il. Alors, prêts à tomber sous le charme ?

— Vas-y, fit Joe. Ne te gêne pas.

Butch nous invita à entrer :

— Jetez donc un coup d'œil sur ces bijoux !

Un seul mot : « Ouaou ! »

Nos motos n'avaient plus rien d'ordinaire ! C'étaient des bolides high-tech équipés de toutes les options dernier cri : commandes en chrome poli, sièges en cuir haut de gamme, pots d'échappement en inox... – la totale ! Et ils étaient personnalisés par des doubles H d'un rouge flamboyant.

— C'est géant ! s'écria Joe. Ça décoiffe !

J'étais médusé.

— M-mais... pourquoi as-tu fait ça, Butch ? balbutiai-je. On avait juste demandé une mise à jour.

Butch éclata de rire.

— Regardez un peu, nous dit-il en s'approchant des motos. Embrayage hydraulique ; suspension optimisée ; phares antibrouillard avec protecteurs en flint-glass ; feux de détresse ; horloge numérique, lecteur CD et radio CB ; prise pour accessoires électriques.

Joe feignit une crise cardiaque :

— Arrête ! Tu me tues !

— Attendez, ce n'est pas tout, continua Butch.

Il abaissa une manette, et une série de visuels

numériques s'éclairèrent sur le tableau de bord.

— Voyez-moi ça, les garçons ! Vous avez une balise de repérage et un système de navigation informatisé.

— Dément ! hurla Joe.

C'était inouï. J'étais médusé, muet d'étonnement.

Enfin, je réussis à parler :

— Tu ne t'es pas fichu de nous, en disant que tu optimiserais nos motos, Butch ! Mais je me demande comment nous allons payer tout ça !

— Y a pas de souci. C'est déjà réglé.

Le mécanicien nous désigna l'homme qui venait d'apparaître sur le seuil.

— Papa ! cria Joe. Tu es le meilleur !

— Vous le méritez, affirma papa, un sourire jusqu'aux oreilles. Maintenant, en route ! Et faites que je sois fier de vous !

Poussant un sifflement, Joe enfourcha sa moto. Je regardai papa dans les yeux :

— Tu n'étais pas obligé, tu sais.

Il haussa les épaules :

— J'ai pensé que ce serait bien de vous équiper des nouveaux systèmes de sécurité, puisque vous traquez les méchants.

— Super. Merci, papa.

À mon tour, je testai mon nouveau siège en cuir. J'allais mettre le contact quand papa ajouta :

— Fais-moi plaisir, Frank : ne prends pas cette nouvelle mission à la légère. Ce n'est sûrement pas sans raison qu'ils l'ont baptisée *Danger extrême*.

— C'est ce que j'ai déjà dit à Joe.

— Eh bien, soyez prudents.

Nous coiffâmes nos casques et fîmes ronfler nos moteurs. Puis, saluant papa d'un geste, nous quittâmes le parking dans un vrombissement et nous engageâmes sur la route.

Joe avait l'air prêt à exploser, tellement il était heureux !

Au premier pâté de maisons, je jetai un dernier coup d'œil vers papa, par-dessus mon épaule. Debout au milieu du parking, il nous suivait du regard. Même à cette distance, je vis qu'il était inquiet.

C'était un avertissement.

Et il y avait tout un tas d'autres signes auxquels j'aurais dû prêter attention : les panneaux de signalisation, par exemple. Car je venais de manquer la bretelle d'autoroute.

Résultat, Joe n'était plus dans mon champ de vision !

5. Mécanique d'enfer

« À nous deux, Philadelphie ! »

J'étais vraiment en train de m'éclater ! Avec la nouvelle mécanique d'enfer que je chevauchais, et la route toute à moi, j'étais prêt à mordre la vie à pleines dents – ou, du moins, à m'attaquer à notre nouvelle mission.

Il y avait juste un petit problème : où était Frank ?

Il s'était laissé distancer, en fait. Mais, grâce à notre nouveau GPS, il me rejoignit à la bretelle d'autoroute suivante. Se portant à ma hauteur comme une flèche, il sourit et m'adressa un signe, pouce levé.

C'était parti !

Ma moto filait comme dans un rêve. Bon sang ! J'aurais pu continuer à rouler comme ça la nuit entière. Slalomant à travers les files de voitures de l'heure de pointe, nous atteignîmes les abords de Philadelphie aux alentours de 20 heures.

Quelques minutes plus tard, nous trouvions notre hôtel, et garions nos bolides sur le parking.

— Il faut vraiment que je laisse ma bécane ici ? demandai-je à Frank en coupant le contact. Tu crois qu'ils m'autoriseraient à la garer dans ma chambre ? Je pourrais la déclarer comme bagage.

— Tu peux aussi déclarer que tu es Elvis ! Mais ça m'étonnerait qu'ils te croient, me railla-t-il. Allez, viens, présentons-nous à l'enregistrement.

Après avoir pris nos affaires, nous gagnâmes la réception au premier, par l'ascenseur. Lorsque les portes s'ouvrirent, nous crûmes que nous nous étions trompés d'endroit.

« Ça décoiffe, ici ! » pensai-je.

Cet hôtel était un vrai zoo. Il était plein de garçons et de filles punk-rock, avec des coupes iroquoises et des teintures fluo. De l'autre côté de la salle, des motards en cuir rouge « topaient » avec leurs casques et poussaient des hourras. Des skaters en T-shirt dévalaient les marches de l'entrée en faisant des slides. D'authentiques triplés avec des queues de cheval nous dépassèrent à toute vitesse sur leurs rollers.

Je décochai un coup de coude à mon frère :

— Hé, Frank, tu vois ce que je vois ? Je peux peut-être apporter ma moto.

— Arrête avec ça, **Joe**.

Frank me poussa vers la réception. En zigzaguant à travers la foule, nous gagnâmes le bureau d'enregistrement. Nous nous retrouvâmes nez à nez avec un réceptionniste chauve qui n'avait pas du tout l'air réjoui par la clientèle du moment.

— Que puis-je pour vous, messieurs ? nous demanda-t-il avec un soupir de lassitude.

— Laisse, je m'en charge, me dit Frank.

— Pas de problème, je ne veux pas t'enlever ton plaisir !

Mon frère adore s'occuper de tout ce qui est officiel. Je n'y voyais aucun inconvénient. Ça me donnait l'occasion de passer les lieux en revue, de tâter le terrain. En faisant volte-face, je faillis heurter une fille.

— Oh, pardon ! m'écriai-je, la rattrapant par le poignet pour l'empêcher de tomber. Je ne t'ai pas fait mal ?

— Y a pas de souci. Je suis OK.

Elle était beaucoup mieux que ça ! Elle était renversante, en réalité : une beauté aux yeux chocolat, avec des cheveux d'un noir de jais, des lèvres rouge rubis. Elle tenait sous son bras un skate rose vif.

« Cette mission est de plus en plus géniale », pensai-je.

— Salut ! fis-je en lui tendant la main. Je m'appelle Joe Hardy.

Elle plaqua sa paume contre la mienne et sourit :

— Jenna Cho. Et je suis mor-ti-fiée !

— Mortifiée ? Pourquoi ça ?

Elle me montra son skate.

— Il y a vingt minutes, j'ai réussi un 540 sur la rampe, et j'ai atterri sur ma planche sans problème. Et, quand un garçon me rentre dedans dans ce hall, je manque de m'étaler par terre.

— Je te parie que ce garçon est nul, affirmai-je avec un éclat de rire.

— Non, pas tant que ça, dit Jenna avec un clin d'œil. En fait, il est plutôt mignon.

« Sympa. »

— Tu participes au tournoi ? demanda-t-elle.

— Non, je suis juste un fan. Mais il m'arrive de faire du skate. Je regrette de ne pas avoir apporté ma planche, d'ailleurs.

– Si tu veux profiter de la mienne, pas de problème : je m'entraîne à FDR Park, demain. Tous les skaters traînent là-bas.

– Hé, Jenna, tu viens ? cria une voix à travers le hall.

Elle venait d'un groupe de skaters, massés devant l'ascenseur.

– Ne bougez pas, j'arrive ! leur lança Jenna.

Elle expédia son skate sur le sol et sauta dessus.

– J'ai la chambre 514, me chuchota-t-elle. Passe, si tu as envie de discuter.

« De plus en plus sympa ! »

– C'était qui ? demanda Frank, survenant derrière moi.

– Une fille sensationnelle. Elle m'a communiqué son numéro de chambre, me vantai-je.

– Pourquoi elle murmurait comme ça ?

– Parce qu'elle ne voulait sans doute pas que TU entendes !

– Ou alors elle a quelque chose à cacher !

– Arrête, Frank ! Oublie un peu que tu es détective, décontracte-toi.

Mon frère parut contrarié.

– Nous sommes en mission, Joe, me dit-il un ton plus bas. Nous sommes censés réunir des informations.

– Et le meilleur moyen d'y parvenir, c'est de

nous mêler à la foule et de sympathiser avec les champions ! D'ailleurs, j'ai une info : Jenna m'a appris que les skaters s'entraînent à FDR Park.

– Bon, OK, c'est utile, concéda Frank. Ça y est, j'ai la clé de notre chambre, allons-y.

Nous prîmes l'ascenseur pour gagner notre chambre, où nous déballâmes nos affaires… le temps de réaliser que nous avions une faim de loup !

– On aurait mieux fait d'accepter les casse-croûte de tante Trudy, dit Frank.

– Sortons prendre une pizza, suggérai-je. On n'a que l'embarras du choix, Philadelphie nous ouvre les bras !

Nous redescendîmes, traversâmes le souk du hall pour gagner la sortie. Une fois dehors, nous eûmes la surprise de constater qu'il y avait autant de monde sur les trottoirs que dans l'hôtel.

– C'est l'effervescence, ici ! commenta Frank en regardant la foule de sportifs et de fans.

Je voyais bien qu'il essayait de capter les conversations, à l'affût de propos louches ! C'est mon frère tout craché, ça ! Toujours pro, toujours sur la brèche !

Nous dépassâmes un pâté de maisons ou deux, juste pour flâner, jusqu'à ce qu'on tombe sur une petite boutique de skate. C'était un endroit un peu miteux, mais où il semblait y avoir tout l'équipement dernier cri. Au-dessus de l'entrée, une pancarte annonçait : OLLIE'S SKATE SHOP.

– Entrons, décida Frank. On va demander au patron s'il a entendu parler des mauvais coups qui se trament.

Je mourais de faim, mais je n'avais pas envie de discuter. Frank était en service commandé, hein !

Une clochette tinta quand nous ouvrîmes la porte et entrâmes. Il y avait toutes sortes d'articles dans le magasin, mais peu de clients : seulement quelques jeunes qui essayaient des casques. Deux filles examinaient des T-shirts.

– Hé ! Vous, là, les garçons !

Frank et moi fîmes volte-face. Celui qui avait crié ainsi était un homme d'âge mûr, une canne, des tatouages sur les bras, la peau rougie et de longs cheveux blonds noués en queue de cheval. Il avait tout du surfer en rogne !

Heureusement pour nous, c'était après d'autres garçons qu'il en avait.

– Ne mettez pas ces casques sur vos cheveux gras, si vous n'avez pas l'intention de les acheter ! aboya-t-il.

– Hé, arrête de la ramener ! répliqua un jeune. Je m'en moque que tu aies été champion national ! Ça remonte à des années. Maintenant, tu n'es qu'un *has been* éclopé !

L'homme à la queue de cheval riva sur le groupe ses yeux bleus au regard froid. Puis, lentement, il glissa sa main sous le comptoir.

— Sortez de ma boutique ! siffla-t-il. Tout de suite !

Pendant quelques secondes, personne ne bougea. Puis les garçons posèrent les casques et sortirent.

— Pauvre type ! marmonna l'un d'eux alors que la porte se refermait sur un tintement de carillon.

Me décochant un coup de coude, Frank me désigna d'un mouvement du menton la pancarte rédigée à la main qui se trouvait près de la caisse enregistreuse : EN TANT QUE CITOYEN AMÉRICAIN, J'EXERCE PLEINEMENT MON DROIT DE PORT D'ARMES. VOLEURS À L'ÉTALAGE, GARE À VOUS !

J'échangeai un regard avec Frank. Il haussa les sourcils et pivota en direction d'un panneau d'affichage.

Je me tournai pour l'examiner. Le panneau était couvert de photos d'Ollie du temps où il était jeune et en forme – fendant l'air sur sa planche. Il y avait aussi des coupures de journaux, avec des gros titres du genre : OLLIE PETERSON CHAMPION NATIONAL DE SKATE 1986 ; et : OLLIE ENCORE VAINQUEUR ! Je dus cligner des yeux pour déchiffrer la petite coupure de presse tout en bas : UNE LÉGENDE DU SKATE À TERRE.

Ollie abattit sa canne sur le comptoir :

– Qu'est-ce que vous cherchez, vous deux ? grommela-t-il.

J'improvisai en vitesse :

– Il me faudrait une nouvelle planche. Haut de gamme.

En marmonnant, il boitilla jusqu'à un grand présentoir de skates.

– Viens voir par ici, petit. J'ai les tout derniers modèles.

« Si j'en achetais un ? » pensai-je. Comme ça, je n'aurais pas à partager avec Jenna, le lendemain.

Ollie ne mit pas plus de deux ou trois minutes à me convaincre d'acquérir un THX-720, avec un décor en forme de flamme rouge – assorti à ma moto !

De son côté, Frank examinait les articles du panneau – à la pêche aux informations, comme d'habitude !

Pendant qu'Ollie enregistrait mon achat, une des filles s'approcha du comptoir :

– Excusez-moi, monsieur, s'il vous plaît. Vous auriez des T-shirts à l'effigie des Big Air Games ?

Mauvaise question ! Ollie faillit piquer une crise :

– Les rois de *l'extrême* prétention ! railla-t-il. Ces escrocs ne m'ont même pas autorisé à tenir un stand à l'entrée du stade ! Alors, ils peuvent toujours courir pour que je leur remplisse les poches en vendant leurs horribles T-shirts !

– Vous n'en avez pas, c'est ça ? demanda la fille, interdite.

– NON, JE N'EN AI PAS ! tonna Ollie.

Elle haussa les épaules et sortit avec son amie.

Quelques instants plus tard, à peu près calmé, Ollie encaissa mon argent et me remit mon achat. Frank se rapprocha du comptoir.

– Grosse affaire, hein, ces Big Air Games ? dit-il à Ollie.

– Une plaie, oui ! ricana celui-ci en levant les yeux au ciel. La ville est sens dessus dessous, avec ces voitures et ces flics partout.

– Un événement comme celui-là doit attirer pas mal de fous furieux, observa Frank. Peut-être même des terroristes. Quelqu'un a entendu des rumeurs comme quoi on allait saboter le tournoi, paraît-il.

Ollie éclata de rire :

— Ce n'est pas moi qui m'en plaindrais ! Je peux même leur dire comment s'y prendre !

— Ah ? fit Frank, penché par-dessus le comptoir. De quelle manière ?

Ollie prit un skate sur son présentoir et le retourna.

— Tu vois cet axe ? dit-il en faisant tourner la roue. C'est là qu'on place les roulements à billes, en général. Mais certains nouveaux modèles ont des roulements hydrauliques. Pas de billes, juste un fluide, compris ?

Frank et moi hochâmes la tête.

— Eh bien, imaginez que quelqu'un remplace le fluide par un explosif du genre nitroglycérine ? Réfléchissez. Plus le skater va vite, plus la nitro chauffe. De plus en plus vite, de plus en plus chaud... et tout à coup : BAOUM ! Vous voyez le tableau.

On le voyait très bien. Et il ne nous plaisait pas beaucoup.

La *mécanique d'enfer*, c'était plutôt celle-là !

Je pris mon skate tout neuf et donnai un léger coup de coude à mon frère :

— On y va, Frank. Il se fait tard.

Frank était de mon avis.

— Salut, Ollie ! lança-t-il en sortant. C'était sympa de discuter un peu !

« Ben voyons, pensai-je. C'est vraiment sympa de bavarder avec un ex-champion complètement dingue qui a envie de faire exploser les gens ! »

Frank

6. Agression !

Notre dîner eut lieu à dix heures, ce soir-là. (Ma faute, j'avais eu l'idée d'entrer chez Ollie's Skate Shop.) Et notre coucher, à une heure du matin. (La faute de Joe, il avait eu l'idée de passer voir Jenna Cho à notre retour à l'hôtel.)

En tout cas, Jenna convainquit mon frère qu'il était inutile d'assister aux manifestations d'avant-tournoi, le lendemain. La cérémonie d'ouverture officielle n'avait lieu que le jour d'après. Elle nous suggéra de paresser au lit, de prendre tranquillement notre petit déjeuner et de la rejoindre ensuite au parc, avec les autres skaters.

Excellente idée ! J'étais éreinté, après une

journée pareille! Plongeon en chute libre, périple en moto, shopping, énorme pizza sur le coup de dix heures, plus le blablabla de Joe avec sa nouvelle copine… Qui aurait pu me reprocher d'être fatigué ?

« Ah, dormir… quel rêve ! »

— Debout ! dit Joe en me flanquant un coup de polochon. Tu ne vas quand même pas traînasser toute la journée ! Remue-toi, flemmard !

Je me frottai les yeux, et regardai le radio-réveil. « Quoi, déjà neuf heures et demie ? »

C'était bien la première fois que Joe était levé avant moi ! Je marmonnai d'une voix ensommeillée :

— P'tit déj'…

— Pas le temps ! décréta-t-il en me jetant un short et une chemise. On a promis de retrouver Jenna. Bouge-toi !

Je m'extirpai de mon lit, courus prendre une douche et m'habillai en vitesse. Joe insista pour qu'on se rende au parc à moto.

— On ne doit pas être en retard, insista-t-il. Et puis, les motos… les filles adorent !

Vingt minutes plus tard, nous étions à FDR Park. Jenna Cho nous attendait devant l'entrée, sa planche rose sous le bras.

— Salut ! nous lança-t-elle avec un grand sourire.

Elle leva le pouce :

– Ouaou ! Vous avez des bolides d'enfer ! Je suis impressionnée.

– Qu'est-ce que je te disais ? me souffla Joe. Elle craque !

Il sourit à sa nouvelle amie :

– Salut, Jenna ! Ça va ?

Elle balança sa planche comme une batte de base-ball.

– Ça va, ça vient ! rigola-t-elle. Bon, garez vos motos, on va s'offrir des *cheese steaks* !

– Des cheese steaks ? Pour le petit déjeuner ? m'étonnai-je.

Me touchant le bras, Joe dit à Jenna :

– Je te présente mon frère. Frank a le sens de la logique !

J'enchaînai du tac au tac :

– Et Joe, l'absence de logique !

Après avoir trouvé où garer nos motos, nous achetâmes à un stand proche trois cheese steaks – ces sandwichs à la viande émincée et au fromage fondu sont la spécialité de Philadelphie.

– Miam ! fis-je après avoir croqué une bouchée. C'est délicieux !

Jenna approuva :

– Vous comprenez pourquoi ils ont fait le tour du monde !

Tout en savourant nos sandwichs, nous fîmes une balade dans le parc, avec Jenna pour guide.

— Je vous emmène dans le skatepark qui se trouve sous le pont aérien, décida-t-elle. C'est la municipalité qui l'a construit. Les skaters les plus cool le fréquentent.

— J'ai hâte d'y être ! dit Joe, tout en montrant la nouvelle planche qu'il avait achetée chez Ollie's.

— Et toi, Frank ? Tu n'as pas apporté de planche ? s'enquit Jenna.

— Avec des pros comme toi dans les parages, je ne veux pas me ridiculiser ! lançai-je.

— Mauvais calcul, c'est déjà fait ! s'esclaffa Joe.

« Lançons la conversation sur les rumeurs d'éventuelles attaques », pensai-je.

— À propos de risques, commençai-je, il paraît qu'il y a eu des menaces sur un site des sports extrêmes. Le bruit court qu'on veut saboter le tournoi. Tu as entendu parler de ça, Jenna ?

— Pas spécialement. Juste des rivalités habituelles. La compétition est parfois féroce. Il y a beaucoup d'argent en jeu.

— Ah ? fis-je.

— Oui, les premiers prix atteignent dix mille dollars. Et, si tu gagnes le championnat national, ça peut te valoir un contrat publicitaire d'un million de dollars avec des marques de sport.

«Une raison de nuire à un adversaire, c'est clair.»

Nous atteignions le milieu du parc. Des jeunes sur leurs planches et des pilotes en motos de cross filèrent devant nous comme des flèches.

— Le skatepark est là-bas, dit Jenna en désignant un point au-delà d'un bouquet d'arbres.

C'est alors qu'un hurlement de sirène retentit derrière nous.

— Attention! cria Joe.

Nous eûmes juste le temps de nous écarter d'un bond: une ambulance blanche des secours d'urgence passa à toute vitesse, gyrophare allumé.

— Ils vont au skatepark! s'exclama Jenna. Il a dû y avoir un accident!

— Allons voir! décidai-je.

Nous nous précipitâmes dans le sillage ouvert par l'ambulance, dépassant des groupes de skaters et de pilotes interdits. La sirène se tut. Le véhicule stoppa au niveau d'une rampe couverte de graffitis, sous le pont aérien de l'autoroute. Nous nous ruâmes sur les lieux de l'action.

Un garçon brun et musclé gisait sur le ciment, à côté de son skate, criant de douleur:

– J'ai mal! J'ai mal!

– Je le connais, nous chuchota Jenna. C'est Gongado Lopez, de New York. Le favori pour la médaille d'or, cette année.

« À partir de maintenant, ça m'étonnerait. »

L'ambulancier, un grand type maigre, appliquait des pansements sur les genoux du garçon; il lança par-dessus son épaule:

– Jack! J'ai besoin de toi!

Un autre secouriste, petit et râblé, sauta de l'ambulance, une mallette de soins à la main. Tout en regardant opérer les deux hommes, je déchiffrai les badges d'identité agrafés sur leurs torses. Le petit s'appelait Jack Horowitz; le grand maigre, Carter Bean. Carter semblait le plus expérimenté. En un tournemain, il remplit une seringue hypodermique et administra un sédatif au blessé.

– Gongado! Gongado! cria soudain une voix aiguë. Qu'est-ce qu'il t'a fait, ce pourri?

Une jeune fille aux cheveux frisés se cogna à nous, et se précipita vers le skater. D'un bras levé, Carter lui barra le chemin.

– Restez en arrière, mademoiselle, dit-il avec fermeté. Laissez-nous travailler.

Elle recula, sans pour autant se taire:

– Gongado, mon petit loup! Que s'est-il passé? Parle!

Gongado cilla. Le sédatif était en train d'agir, de toute évidence. Il fut pourtant capable de répondre :

— On m'a agressé, *baby* ! Quelqu'un m'a sauté dessus, renversé à terre et donné des coups de skate dans les genoux.

La fille fondit en larmes.

— C'était lui ? demanda-t-elle. C'était Eddie ?

Gongado secoua la tête :

— Je ne sais pas. Je n'ai pas vu son visage.

Là-dessus, il perdit conscience.

Un homme muni d'un appareil photo fit quelques pas en avant et cria à l'adresse de la foule :

— Qui a vu quelque chose ?

Personne ne réagit. Carter lui demanda :

— Vous êtes officier de police ?

— Non, journaliste au *Philadelphia Freedom Press*. Je traversais le parc et j'ai entendu votre sirène. Ça ne vous ennuie pas de poser pour une photo ? Penchez-vous sur la victime et tâchez de prendre un air inquiet.

— Mais je *suis* inquiet, dit calmement Carter.

Il se retourna et aida son collègue à soulever le garçon sur un brancard pour le monter dans l'ambulance.

Le reporter prit plusieurs photos. Une fois la

voiture partie, il s'obstina : au lieu de faire cliqueter son appareil, il interviewa la moitié des jeunes présents.

Au bout d'un moment, il s'en alla, et tout redevint normal. Les skaters recommencèrent à s'exercer au heelflip et au kickflip ; les pilotes de cross, à franchir des buttes à moto. Jenna, Joe et moi nous installâmes sous un arbre.

— Tu connais cette fille ? demandai-je à Jenna. La copine de Gongado ?

— Pas personnellement. Mais j'en ai entendu parler. Elle s'appelle Annette. Elle ne sort qu'avec les champions de skate les plus en vue. Avant, elle était avec Eddie Mundy… jusqu'à ce qu'il soit battu par Gongado au dernier tournoi régional. C'est lui son copain, maintenant.

— Eddie…, fis-je. Annette a cité ce nom. Elle pense que c'est Eddie Mundy qui a agressé Gongado, alors ?

— Évidemment ! Gongado a d'abord détrôné Eddie. Et après il lui a volé sa petite amie. Je te laisse tirer les conclusions toi-même !

— Il ressemble à quoi, Eddie ? m'enquis-je.

Pointant son index, Jenna déclara :

— C'est lui, là-bas. Le type avec le bandana rouge. Bon, Joe, on y va ? On essaie le vertical ?

Elle et Joe partirent sur leurs planches.

Et moi ? Eh bien, je décidai d'avoir un entretien avec Eddie Mundy.

— Salut ! lui lançai-je pendant une pause de son entraînement. Il paraît que tu es le plus fort, ici.

Eddie – un grand échalas qui faisait un peu peur, je dois le reconnaître – s'assit sur sa planche et me dévisagea d'un air soupçonneux :

— Qui t'a raconté ça ?

Je désignai les skaters d'un mouvement du menton :

— Il y en a qui ont prétendu que c'est toi le meilleur.

Il haussa les épaules et grommela :

— Je *l'étais*. Jusqu'à ce que Gongado Lopez s'empare de mon titre.

— On vient de l'emmener en ambulance. Il a les genoux bousillés. Alors, le voilà hors circuit, j'imagine.

— C'est ça, fit Eddie en plissant les paupières. Du coup, c'est *moi* le meilleur.

Il lâcha un petit rire.

— Tu t'entends bien avec Gongado ?

— Tu es drôlement curieux, dis-moi ! Pourquoi ?

— J'écris un article sur les Big Air Games pour le journal de mon bahut.

— Un conseil : assure tes arrières. C'est

dangereux de poser trop de questions. *Extrêmement* dangereux.

Il me décocha un regard dur. « Ne joue pas avec le feu », pensai-je. Et je me contentai de dire merci, au revoir.

Je traversai le skatepark en quête de Joe, pour le mettre au courant des derniers développements. Nous avions un suspect numéro deux !

Un instant plus tard, je l'entraînais loin des rampes en béton – et de Jenna. Elle avait besoin de s'exercer ; nous, de mener notre enquête.

Parvenu à une bonne centaine de mètres de là – hors de portée d'oreille –, je rapportai à Joe ma petite conversation avec Eddie Mundy.

– Mince ! s'exclama-t-il après m'avoir écouté. Il est coupable de chez coupable !

– Ce n'est pas un fait établi ! D'accord, il a un mobile. Et c'est le genre de type capable de commettre un crime pareil. Mais nous n'avons pas de preuve.

– Arrête ! Et ce commentaire au sujet de tes questions « extrêmement dangereuses » ? Tu l'expliques comment ?

– Je n'en sais rien, admis-je. Eddie Mundy est louche, c'est sûr. Je pense qu'il faut avoir l'œil sur lui.

– Et c'est tout ? C'est comme ça que tu vois

les choses ? protesta Joe, mains écartées, paumes vers l'extérieur. On ne le remet pas à la police ?

— Non. Pas encore.

Joe s'arrêta de marcher et insista :

— Et s'il dégomme quelqu'un d'autre ?

Sa question me laissa songeur. Mais je n'eus pas le loisir d'y réfléchir. Un cri venait de transpercer l'air.

Joe

7. Du sang sur le béton

« Quel cri, bon sang ! »

Nous restions figés, à l'écoute, Frank et moi.

Ça y est, c'était reparti !

Je ne saurais dire ce qui m'effraya le plus : le fait que ce hurlement venait du skatepark, ou qu'il semblait avoir été poussé par Jenna. Je partis comme l'éclair, de toute la vitesse de mes jambes, vers le pont aérien, suivi par l'écho des pas précipités de Frank, qui courait derrière moi. Des skaters et des motards s'élançaient aussi vers les rampes. Je les devançai tous.

Un goupe de jeunes était massé autour d'une rampe. Au milieu, j'aperçus une fille courbée en deux.

Je me frayai un passage entre les spectateurs, en lançant :

— Jenna !

Jenna était assise sur la courbe du module, penchée au-dessus du corps inerte d'un garçon aux cheveux bouclés.

Je m'accroupis auprès d'elle :

— Que s'est-il passé ? Qu'est-ce qu'il a ?

Jenna leva vers moi des yeux embués de larmes.

— Je n'en sais rien. On s'entraînait aux pirouettes, et Jeb s'est écroulé juste devant moi. Ma planche l'a heurté à la tête. J'ai essayé de m'arrêter, mais…

J'examinai avec soin le jeune homme, écartant ses boucles :

— Je ne vois aucune blessure. Et il respire encore. Appelez les secours !

— C'est fait, dit Frank, qui fourrait son mobile dans sa poche.

Il s'agenouilla auprès de nous pour demander à Jenna :

— Tu le connais ? Qui est-ce ?

— Jeb Green. Un vieil ami à moi, que j'ai connu en Californie. Un skater éblouissant. Il sait encaisser une chute, il a l'habitude. Mais là… c'était bizarre… au moment où il est tombé, ça a fait *bang*.

– *Bang*? m'étonnai-je, décochant un coup d'œil à Frank.

– Tout est ma faute, hoqueta Jenna, secouée de sanglots silencieux. J'ai freiné pour ne pas lui rentrer dedans, mais ma planche a fusé sous moi. Si ça se trouve, je lui ai causé un traumatisme crânien.

Je désignai le sommet incurvé de la rampe :

– Je pense que ton skate n'a rien à y voir. Il y a du sang sur la rampe.

– Et au milieu de son torse, ajouta Frank.

Nous déboutonnâmes rapidement la chemise de Jeb. Une petite perforation apparut sur sa peau : la trace d'une balle.

– On lui a tiré dessus ! s'écria Jenna.

Des murmures s'élevèrent, comme le vrombissement d'un essaim d'abeilles. Des gens détalèrent, d'autres avancèrent pour voir de plus près. On entendit une voix d'homme qui ne cessait de répéter :

– Pardon, laissez-moi passer…

C'était le journaliste du *Philadelphia Freedom Press*.

– Qu'est-il arrivé ? interrogea-t-il. Il y a des témoins ?

Jenna voulut répondre, je l'en empêchai.

Quelque chose me déplaisait chez cet individu. Ça devait tenir à la manière dont il brandissait son appareil photo pour mitrailler la scène chaque fois qu'il était en présence d'un blessé…

— Dites donc ! rétorquai-je. Ce garçon est peut-être en train de mourir. Arrêtez avec cet appareil !

— Tu plaisantes ? s'insurgea-t-il. Cette affaire va faire la une !

Pour un peu, je lui aurais flanqué un coup de poing. Frank eut une meilleure idée : il se leva et lui boucha la vue.

Au loin, une sirène retentit.

— C'est bon, écartez-vous ! cria Frank à la foule. Place à l'ambulance ! Allez, les gars ! On se bouge !

Peu à peu, les jeunes s'écartèrent afin de laisser passer le véhicule des premiers secours.

Il ne tarda pas à s'arrêter près de la rampe. Les portes s'ouvrirent, livrant passage à Carter et Jack – les deux secouristes qui avaient soigné Gongado Lopez une heure plus tôt.

— Une journée chargée ! leur dis-je.

— Pas plus que ça, répondit Carter. Des accidents, il en arrive tous les jours.

— Là, ce n'est pas un accident, précisa Frank.

— Oh, je vois, lâcha le mince ambulancier, inspectant la blessure de Jeb.

— Est-ce que… c'est grave ? lui demanda Jenna.

– Eh bien… le trou est trop petit pour qu'il s'agisse d'une balle. On dirait plutôt qu'il a été atteint par un fusil à plombs.

Il examina la blessure de plus près :

– Oui, c'est ça, j'en vois, logés dans son sternum.

– Mais il ne va pas… ? s'inquiéta Jenna.

– Sa vie n'est pas en danger, déclara le secouriste.

Les gens poussèrent des cris de joie. Même le reporter du *Freedom Press* parut se réjouir – sans pour autant cesser de prendre des photos.

Les ambulanciers ignorèrent ces manifestations d'émotion. Ils se concentraient sur leur travail. Leur rapidité et leur efficacité me stupéfièrent. Il ne fallut pas plus de quelques minutes pour que Carter et Jack installent le jeune homme sur une civière et le mettent sous perfusion.

J'enlaçai Jenna par les épaules.

– Jeb va s'en tirer, lui assurai-je. Ces gens sont des pros.

Jack, le plus petit secouriste, s'installa au volant et mit le contact. Carter monta près du blessé. Juste avant que l'ambulance démarre, il apparut à la vitre arrière et leva le pouce en direction des skaters.

Ce fut une acclamation générale.

– Superbe ! Tout simplement superbe ! s'écria le journaliste, qui captait la scène avec son appareil.

Il sortit ensuite de sa poche un mini-magnéto, et commença à interviewer les personnes présentes.

Je regardai Jenna. Elle semblait plutôt secouée.

– Tu devrais t'asseoir un peu, suggérai-je.

– Il y a un banc, là-bas, dit Frank.

Nous allâmes nous y asseoir. Dissimulé à l'ombre d'un grand arbre, le banc offrait une vue parfaite sur le skatepark. Personne ne s'en-traînait. Agglutinés par groupes, les jeunes discutaient.

Nous restâmes silencieux un moment, nous contentant de les observer à distance. Enfin, Jenna prit la parole :

– Pourquoi quelqu'un aurait-il voulu tirer sur Jeb ? Cela n'a aucun sens.

Je décochai un regard à Frank. Je savais qu'il *mourait d'envie* de lui poser certaines ques-tions. Mais il se retint.

– Je ne comprends pas, continua-t-elle doucement. Tout le monde aime Jeb. C'est vrai-ment le Californien typique : chaleureux, toujours de bonne humeur, toujours souriant… Il n'a ni ennemis ni rivaux ! C'est juste un garçon sympa et décontracté. Je serais contente que vous puissiez le connaître.

– Si Frank et moi lui rendions visite à l'hôpital ? suggérai-je.

Le visage de Jenna s'éclaira.

– Vous feriez ça ? Ce serait super. Ça compterait beaucoup pour moi. D'ailleurs, j'ai envie de laisser tomber l'entraînement pour vous accompagner.

– Jeb voudrait plutôt que tu t'exerces pour épater tout le monde sur les rampes, demain. Tu ne crois pas ?

– Oui, tu as raison… Mais dites-lui bien que je pense beaucoup à lui, et que j'essaierai de passer le voir ce soir.

Je l'étreignis très fort :

– Retourne t'entraîner.

Elle sourit, se leva et monta sur sa planche, en direction des rampes. Je la suivis des yeux, incapable d'en détacher mon regard. Pour deux raisons.

J'étais en train d'en tomber amoureux, d'abord.

Et puis, je me faisais du souci pour elle.

– Le tireur rôde encore dans les parages, énonçai-je. Si ça se trouve, il est à l'affût… il guette l'occasion de réappuyer sur la détente.

— Peut-être pas, me répondit Frank. Voici Eddie Mundy.

Une sonnette d'alarme tinta dans mon esprit.

Eddie obliqua vers nous sur son skate, avec son bandana rouge autour du front et son sac à dos à l'épaule, tout en mangeant un hot dog. Il s'arrêta devant notre banc dans un crissement de roues.

— Hé, l'apprenti journaliste ! braille-t-il à l'adresse de Frank. J'ai raté quelque chose ? J'ai vu qu'il y avait encore une ambulance. Qu'est-ce qu'il s'est passé ?

« Comme si tu ne le savais pas ! » pensai-je. Frank répondit :

— Un autre accident. On a tiré sur Jeb Green.

Eddie s'arrêta aussi sec de mastiquer :

— Là, tu te fiches de moi !

— Pourquoi je blaguerais ? Je suis l'apprenti journaliste, non ?

— C'est quand même une rude nouvelle, soupira Eddie. Est-ce que Jeb est mort ?

— Non, il est à l'hôpital, continua Frank. Apparemment, on l'a atteint avec un fusil à plombs. Un truc assez petit pour être dissimulé dans un sac à dos, tu vois.

Eddie jeta un coup d'œil instinctif vers son sac, et sourit.

— N'y songe même pas. Je n'étais pas là !

Là-dessus, il se remit à mordre dans son hot dog. Il commençait vraiment à me taper sur les nerfs !

— Tu étais où, alors ? fis-je.

Il me décocha un petit sourire dédaigneux :

— En train de m'acheter un hot dog.

Et il écarta largement les mâchoires, exhibant sa bouche pleine.

— Où ça ? demanda Frank.

— Dans un stand, tiens.

— Lequel ?

— Qu'est-ce que j'en sais ? Il y en a au moins une centaine, dans ce coin !

Il rigola, jusqu'à ce qu'il remarque nos mines :

— Hein ? Vous parlez sérieusement ? Vous pensez que je dégomme les autres skaters ? Pourquoi ? Vous imaginez que, sans ça, je suis incapable de gagner une médaille ? Lâchez-moi les baskets !

Il sauta sur sa planche et s'en alla.

— Je crois que je vais faire un tour au skate-park. Ça ne m'emballe pas que cet abruti rôde dans les parages pendant que Jenna s'entraîne, dis-je à Frank.

Il acquiesça.

— Écoute, je vais interroger quelques vendeurs de hot dogs pour essayer de savoir où était Eddie lorsqu'on a tiré. On se retrouve à l'entrée d'ici une demi-heure, OK?

– Entendu.

Nous nous séparâmes. J'entrai dans le skate-park, et dénichai un endroit où je pouvais avoir l'œil à la fois sur Jenna et sur Eddie. Au bout d'un instant, mes inquiétudes diminuèrent: tout semblait redevenu normal.

« Tout semblait normal aussi, avant les agressions. »

– Hé, toi, le môme!

Je faillis lâcher un gémissement. C'était le journaliste du *Philadelphia Freedom Press*, son magnéto dans une main, son appareil photo dans l'autre.

– Qu'est-ce que vous voulez? demandai-je.

– Tu étais présent lors des deux accidents.

– Et alors? Vous aussi.

– Bon, c'est quoi, ton truc? Tu es fana de skate? Tu es prêt à tuer pour une médaille?

Je le foudroyai du regard:

– Qu'est-ce qui me prouve que vous êtes journaliste?

Il sortit son portefeuille et exhiba sa carte de presse. Je jetai un coup d'œil sur son portrait et son accréditation: Maxwell Monroe, reporter-photographe, *Philadelphia Freedom Press*.

– Le cliché est très réussi, Max. Alors, pourquoi aimez-vous photographier les crimes violents ? Ça vous apporte quoi ?

Il pouffa.

— Le prix Pulitzer, si j'ai de la chance. Je tomberai peut-être sur un troisième fait divers, tout à l'heure. Dingue, non ? Deux agressions sur des ados au même endroit le même jour ! Et moi sur place pour enregistrer ça avec mon appareil ! Franchement, quelles sont les probabilités pour que ça se produise ?

« Oui, justement, pensai-je, quelles sont les probabilités ? »

— La plupart des journalistes seraient prêts à tout pour un scoop pareil, crois-moi, continua Max. Je vois d'ici les gros titres : « CRIMES EXTRÊMES AUX SPORTS EXTRÊMES ! Un reportage exclusif de Maxwell Monroe ». Je serai célèbre !

— C'est ça, fis-je, en m'éloignant.

Ce type était écœurant !

— Bon, je dois retourner au bureau, si je veux que mon papier soit prêt avant le bouclage, dit-il.

Il glissa son magnéto dans la poche intérieure de son veston, et c'est alors que je remarquai quelque chose : il portait un étui de revolver.

— Bonne chance pour la compétition, mon gars !

Il tourna les talons, s'éloigna et lâcha un petit rire.

Je me retournai vers les rampes : Eddie Mundy quittait le parc avec un groupe de copains. Je n'avais plus besoin de veiller sur Jenna.

Je la regardai exécuter un saut stupéfiant, lui dis au revoir, puis me dirigeai vers la sortie pour rejoindre Frank. J'avais hâte de lui apprendre la dernière nouvelle.

Si mes soupçons étaient justes, les gros titres du lendemain pourraient bien être : UN REPORTER PRÊT AU MEURTRE POUR UN ARTICLE.

8.Mort à l'arrivée

C'était la cohue, à la salle des urgences du Pennsylvania Hospital, bruyante et pleine d'agitation. Les gens les plus grièvement atteints étaient emmenés sur des brancards. Les autres devaient attendre que l'infirmière de la réception crie leur nom.

Je me balançai d'avant en arrière sur mon fauteuil en vinyle, tout en m'efforçant de trier les indices et les suspects. Dur de se concentrer, avec tous ces gémissements et grognements alentour ! Les patients perdaient patience. Et moi aussi.

Mon frère n'en finissait plus sur Maxwell Monroe :

— Crois-moi, Frank, ce journaliste est fou à lier ! Il ferait n'importe quoi pour un bon papier.

— Je ne sais pas, Joe. Ça me paraît tiré par les cheveux.

— Mais il était *sur les lieux* ! Pour les *deux* agressions !

— Nous aussi, soulignai-je. Comme un tas d'autres gens.

— Et le revolver, alors ? Qu'est-ce que tu en fais ?

— Ce n'est pas un revolver que tu as vu, mais un étui. Si ça se trouve, ce n'était que la courroie de son appareil photo.

— Peut-être, fit Joe en se levant pour se dégourdir les jambes. Et peut-être pas.

Il était difficile de le prendre au sérieux : il tenait un bouquet de marguerites !

— OK, concédai-je. Je l'ajoute à notre liste de suspects. Bon... nous avons Maxwell Monroe, Ollie Peterson, Eddie Mundy... et pratiquement tous les skaters en compète. C'est fou ce que ça restreint les possibilités !

— Hardy ! HARDY !

L'infirmière avait braillé nos noms, tel un sergent instructeur. Nous nous précipitâmes à la réception.

— Vous pouvez aller voir Jebediah Green,

nous informa-t-elle. On vient de l'amener à la chambre 418.

Nous prîmes l'ascenseur. Au quatrième, une autre infirmière nous indiqua la chambre de Jeb. Je frappai légèrement.

— Entrez ! répondit une voix enrouée.

J'entrai avec mon frère. Jeb était allongé sur son lit, une épaisse compresse fixée avec du sparadrap sur le torse, une perfusion dans le bras.

Joe lui tendit le bouquet de marguerites :

— De la part de Jenna. On est des copains à elle.

— Merci, murmura Jeb avec un faible sourire.

— Elle voulait venir, mais on lui a affirmé que tu aimerais mieux qu'elle s'entraîne.

— C'est clair.

Jeb semblait un peu groggy, mais étonnamment en forme pour un garçon qui venait de recevoir de la mitraille de plomb en pleine poitrine.

— Je suis Frank Hardy, annonçai-je en lui serrant la main. Et voici mon frère Joe. Comment vas-tu ?

— Mystère, dit-il avec un sourire comique. Avec tous les calmants qu'ils m'ont donnés, je ne sens rien. Ils affirment que je me remettrai, en tout cas.

Joe posa les fleurs sur une table et tira une chaise pour s'asseoir :

— Nous essayons d'éclaircir cette histoire, Jeb.

— Vous et la moitié des flics de la ville ! Ils m'ont posé un million de questions.

— Tu permets qu'on en rajoute quelques-unes ?

— Bien sûr, pourquoi pas ? Je ne les compte plus ! Mais je vais d'abord vous informer de ce que j'ai raconté à la police. Non, je n'ai pas d'ennemis – pas à ma connaissance. Non, je ne vois vraiment pas pour quel motif on s'en est pris à Lopez et à moi. Et non, je ne suis pas un des champions au top, cette année – donc, ça ne rime à rien de m'éliminer de la compétition.

J'acquiesçai avec un soupir.

— Merci, Jeb. Tu viens de m'apporter les réponses dont j'avais besoin.

— Les flics n'ont rien laissé au hasard, tu sais.

J'étais à court d'idées. Joe aussi, à en juger par sa mine. Soudain, une pensée me traversa :

— J'ai quand même une question pour toi.

— Vas-y, dégaine ! lança Jeb en souriant.

L'expression qu'il avait choisie me fit rire. Il avait de l'humour, pour quelqu'un qui venait de se faire tirer dessus !

— Que sais-tu sur Ollie Peterson, le propriétaire d'Ollie's Skate Shop ?

À cet instant, la porte s'ouvrit. Le secouriste grand et maigre qui s'était occupé de Jeb au skatepark entra.

— Salut, Jeb ! fit-il avec un sourire. On m'a prévenu que tu pouvais recevoir des visites.

Il risqua un coup d'œil de notre côté. Joe dit :

— Y a pas de souci. Vous pouvez vous joindre à nous.

L'ambulancier se présenta :

— Carter Bean. Tu ne te souviens sûrement pas de moi. Je suis un des secouristes qui t'ont soigné.

Jeb lui serra la main.

— Merci, vous m'avez sauvé la vie. Voici des amis à moi : Frank et Joe Hardy. Ils sont venus assister aux Big Air Games.

— Et nous sommes aussi vos admirateurs, affirma Joe à Carter. Nous avons vu de quelle manière vous avez traité les deux urgences d'aujourd'hui. Comme un vrai pro.

— Merci. Ça fait plaisir d'être apprécié, déclara Carter.

Il se tourna vers Jeb :

— Comment te sens-tu ? Ils se sont bien occupés de toi ?

— Vous pouvez toujours vérifier, répondit Jeb.

Carter écarta le pansement pour examiner la blessure :

— Beau boulot. Ça cicatrisera en un rien de temps, tu verras. Une chance que le tireur se soit posté assez loin. S'il avait tiré de plus près, tu étais MPT.

— MPT ? fit Jeb.

— Mort pendant le transfert.

Je demandai à Carter :

— À quelle distance se trouvait le tireur, selon vous ?

Il se gratta la tête.

— Eh bien…, il faudrait le demander à un expert médicolégal. Mais, à mon avis, il devait être à deux cents mètres au moins.

Je pris mentalement note du fait. C'était peut-être un indice. Ou peut-être pas.

Après avoir bavardé quelques instants, Carter annonça que sa pause déjeuner était terminée, et quitta la chambre. Aussitôt, je relançai Jeb sur Ollie Peterson.

— Que veux-tu que je te dise ? fit-il. Ollie est Ollie. Tout le monde le connaît, et le déteste. Mais il a la meilleure boutique de skate de la ville. Il s'y connaît. C'est un ancien champion, vous savez. Dans les années quatre-vingt, il était le type le plus époustouflant qu'on ait vu sur une planche. Une très belle carrière s'ouvrait devant lui.

— Que lui est-il arrivé ? demandai-je.

— Deux choses. Il s'est mis à proclamer qu'il avait inventé le ollie – le mouvement qu'on exécute en claquant du pied sur le tail pour faire décoller la planche : tout le monde sait très bien que c'est Alan Gelfand qui l'a inventé ! C'est une vraie légende chez les skaters. Ollie n'était qu'un frimeur. En plus, il insistait pour qu'on l'appelle Ollie ! Son vrai prénom, c'est Owen.

— Bon. Et la deuxième chose ?

— L'accident. Il a eu lieu en 1990, au sommet de sa carrière, dans le FDR skatepark. Ollie a vraiment voulu se surpasser. Il a décollé à trois mètres de hauteur, et, à la réception, ses genoux ont frappé le bord de la rampe. Il a de la chance de pouvoir encore marcher !

Nous remerciâmes Jeb pour ces informations. Il nous demanda de transmettre un message à Jenna : « Vise la médaille d'or, *baby* », et nous fit le V de la victoire. Nous quittâmes l'hôpital et rentrâmes à l'hôtel en moto.

— Vivement une bonne douche ! s'exclama Joe dans notre chambre. Je suis en nage.

Il ôta sa chemise et alla s'enfermer dans la salle de bains. J'allumai mon ordinateur portable pour faire un peu d'exploration sur le web. Peut-être parlait-on des agressions du jour dans les chats. Je me connectai, et ne tardai pas à atterrir dans les salons de discussion officiels des Big Air Games.

C'était la bousculade. Tout le monde donnait sa thèse sur les attaques contre les skaters. Certains les attribuaient à des terroristes. D'autres, aux pilotes de la compétition de motocross. Personne n'avait une suggestion sensée.

Alors que j'allais renoncer, une chose attira mon attention. Une courte ligne noyée au milieu de ces théories du complot farfelues :

Je vous avais prévenus que ça arriverait. Je vous avais avertis.

Il provenait de 4567TME, l'auteur de l'étrange avertissement au «dingue de sports extrêmes».

Je l'avais bien dit ! L'envoi que j'avais repéré la veille était une menace !

Je fis défiler le reste des commentaires, pour voir si 4567TME avait ajouté un autre message. Il n'y avait que celui que j'avais repéré.

Mais quel message !

Joe sortit de la salle de bains, séchant ses cheveux avec une serviette.

— Viens voir ça ! lui criai-je.

Il se pencha vers l'écran, et lut.

– Il faut avertir la police, déclara-t-il. Ils pourraient retrouver l'origine du message par l'intermédiaire du site web.

– Pas si c'est un spam. Ça prendrait des jours, et même des semaines pour remonter à la source.

– On n'a pas autant de temps. Le tournoi commence demain.

– Je sais.

Je sortis mon mobile, et appelai les renseignements pour me procurer le numéro de Ollie's Skate Shop.

– Qu'est-ce que tu fabriques ? s'enquit Joe pendant que je le composais.

– Chuut !

– Ouais ? Qu'est-ce que vous voulez ? aboya Ollie au bout du fil.

– Quels sont vos horaires ?

– Midi à vingt-deux heures.

– Midi ? C'est tard, pour ouvrir un magasin.

– On vous a demandé votre avis ? siffla Ollie. C'est *ma* boutique, c'est *moi* qui décide !

Là-dessus, il raccrocha. J'expliquai à Joe :

– Ollie ne travaille pas avant midi. Donc, il n'était pas là ce matin. Il aurait très bien pu être au skatepark.

Joe avança un autre élément :

– D'après le secouriste, on a tiré à plusieurs centaines de mètres de distance. Et les skaters étaient tous près des rampes. Donc, ce n'est pas l'un d'eux qui a blessé Jeb.

– En revanche, Eddie Mundy achetait un hot dog et, justement, les stands sont dans le périmètre de tir.

Joe hocha la tête.

– Je ne suis pas convaincu de sa culpabilité. Eddie a eu l'air plutôt sonné, quand tu lui as appris ce qui était arrivé à Jeb. Pour moi le suspect numéro un est Ollie.

Je ne pouvais qu'être d'accord :

– Il est amer à cause de sa carrière ratée. Il déteste les Big Air Games. Il imagine des moyens de saboter les skates.

– Et il a un fusil sous son comptoir.

– Bingo ! Nous avons un gagnant, les amis !

– Et comment ! Ollie est notre homme, approuva Joe. Bon, qu'est-ce qu'on fait ? On le signale à la police ?

– Nous n'avons pas assez d'indices pour l'incriminer !

– Toi et tes indices ! grogna Joe en s'affalant sur son lit. Qu'est-ce que tu suggères, alors, monsieur le champion de l'ordre public ?

– On va rendre une nouvelle visite à Ollie.

Voir comment il réagit à l'annonce des agressions contre les skaters.

Un instant plus tard, nous quittions notre hôtel et franchissions les trois pâtés de maisons qui nous séparaient de la rue d'Ollie. Joe devenait de plus en plus excité à chaque pas.

– Il faut qu'on coince ce type, marmonnait-il. Il pue la culpabilité, c'est clair.

Je crois qu'il se voyait déjà au beau milieu d'un grand règlement de comptes, comme au cinéma. Et Ollie avait effectivement ce qu'il fallait pour être un excellent méchant hollywoodien. Malgré son infirmité et sa canne, il opposerait sûrement une sacrée résistance !

« Sois prêt à tout », me dis-je.

Pourtant, je fus quand même drôlement secoué quand nous tournâmes au coin de la rue. La boutique d'Ollie était encerclée par des voitures de police et isolée par des bandes de plastique jaunes. Les lieux grouillaient de flics. Au-delà, une ambulance, gyrophare en marche, fit retentir sa sirène, puis démarra et s'éloigna.

Nous nous frayâmes un passage jusqu'au barrage. Joe demanda aux policiers :

– Qu'est-ce qu'il y a ? Que s'est-il passé ?

Silence.

– Je vais vous le dire, moi, ce qu'il y a ! lança quelqu'un derrière nous.

Nous fîmes volte-face et nous retrouvâment face à Maxwell Monroe, le reporter du *Philadelphia Freedom Press*.

— Ollie a été assassiné, annonça-t-il.

Joe

9. Qui est Mister X?

« Ollie ? Assassiné ? »

Alors là, je n'en revenais pas. Notre suspect numéro un était devenu la dernière victime en date !

— C'est arrivé comment ? demanda Frank au journaliste.

— Il a été empoisonné. J'ai entendu les flics discuter entre eux. Ils pensent qu'on a mis quelque chose dans son café. Ils envoient un échantillon au labo pour analyse.

« Ollie, assassiné ? Mais qui voudrait assassiner Ollie ? » ruminai-je.

Puis je me rappelai sa façon de rabrouer les clients, l'autre soir. Il avait la meilleure boutique de skate de Philly, d'accord, cependant, il s'était fait un tas d'ennemis, apparemment. Selon Jeb, tout le monde le haïssait.

Mais le haïssait-on assez pour aller jusqu'à le tuer ?

Max fit cliqueter son appareil, afin de photographier la scène de crime.

— Mister X a encore frappé, dit-il.

— Qui est Mister X ? lui demandai-je.

— Vous n'avez pas vu l'édition du soir du *Freedom Press* ?

— Non ! Il n'est que quatorze heures !

— Nous avons sorti une édition anticipée, aujourd'hui. On devait battre de vitesse les autres journaux pour préserver notre scoop. Au fait, c'est votre serviteur qui couvre l'affaire. Photos, interviews exclusives... tout est de moi ! Même l'idée de « Mister X » est de moi.

Frank marmonna à voix basse :

— Le Fantôme des Big Air Games...

Max se tourna vers lui :

— Oui, c'est aussi une de mes trouvailles, mais... je croyais que vous n'aviez pas lu l'édition du soir ?

Frank pointa le doigt vers la scène de crime. Un exemplaire chiffonné du *Freedom Press* traînait sur le seuil de la boutique d'Ollie. La une était ainsi rédigée : QUI EST MISTER X ?

LE FANTÔME DES BIG AIR GAMES AGRESSE LES ATHLÈTES DES SPORTS EXTRÊMES DANS UN PARC.

– Mister X, sports eXtrêmes. Compris ? fit Max.

– On a capté, dis-je.

– Faites encore mieux : achetez. Mon rédacteur en chef espère doubler, et même tripler notre tirage, avec cette histoire.

– On se procurera un numéro une fois à notre hôtel, promit Frank.

Max alerta un officier de police posté devant la boutique :

– Hé, s'il vous plaît ! Ohé ! Passez-moi ce journal, là, par terre !

L'officier jeta un coup d'œil sur le quotidien abandonné sur le seuil, et répliqua sur le même ton :

– Désolé ! C'est un indice !

– Un indice, grommela Max. Le plus gros reportage de ma carrière, et ce rigolo appelle ça un indice. Inouï, non ? Il est sûrement trop radin pour s'acheter un numéro, oui ! Un indice... tu parles !

Décochant un regard entendu à Frank, je fis tourner mon index contre ma tempe, comme une vrille.

« Quel nullard ! »

— Monsieur Monroe, glissa mon frère, pour changer de sujet, vous dites qu'Ollie a été empoisonné. Vous avez vu son corps, avant qu'on l'emporte ?

— Et comment ! déclara le reporter en tapotant son appareil. J'ai tout sur pellicule. Il était déjà mort lorsqu'ils l'ont monté en ambulance. Je voulais photographier son visage, mais ils l'avaient recouvert avant mon arrivée. J'ai quand même pu avoir un bon cliché de sa canne gisant près de lui sur le brancard.

— Comment avez-vous appris la nouvelle ? s'enquit Frank.

— Je ne l'ai pas apprise. J'étais en route pour la boutique. Ollie m'avait laissé un message au bureau. Il voulait me parler de Mister X. Je suis arrivé juste au moment où ils s'apprêtaient à l'emmener à la morgue.

— Il vous a laissé un message ? Quand ? continua Frank.

— Il y a environ une heure, répondit Max, plissant soudain les yeux. Dis donc, petit, tu devrais devenir journaliste ! Tu en poses, des questions !

Avec un sourire nerveux, Frank prétendit :

— Euh, justement, je compte m'inscrire en journalisme, quand j'entrerai en fac.

— Ah bon ? fis-je.

Sans cesser de sourire, Frank me décocha un coup de pied dans le tibia.

— Tu as l'air d'un bon petit jeune homme, enchaîna Max. Laisse-moi te donner un conseil. Ne mets pas tous tes œufs dans le même panier. Étudie un tas de choses. Je veux dire : regarde Ollie. C'était une grande star, le skate était toute sa vie. Et puis, il s'est bousillé la jambe. Et c'est devenu un bonhomme amer, à ce qu'il paraît.

Frank s'obstina :

— Qui l'a tué, selon vous ? Et pourquoi ?

Le journaliste haussa les épaules et passa une main sur sa mâchoire.

— Tu veux un avis professionnel ? Je crois que Mister X est un dingue qui cherche à attirer l'attention sur lui. C'est la seule explication plausible. Si on considère les différentes victimes, les mobiles éventuels… ça ne tient pas debout !

« C'est le moins qu'on puisse dire ! » pensai-je.

— Viens, Joe, me lança mon frère. On va manger un morceau.

— Excellente idée, je meurs de faim !

Frank serra la main du journaliste.

— C'était sympa de discuter avec vous, monsieur Monroe. Merci pour le conseil !

— De rien, petit, répondit Max, et il se retourna vers la scène de crime.

À l'angle de la rue, Frank et moi dénichâmes un restaurant chinois. Nous fûmes bientôt installés à une petite table, sous le menu géant affiché au mur.

Lorsque la serveuse eut pris notre commande, je chuchotai :

– Je te l'avais bien dit ! Max Monroe est complètement barjot, Frank ! Mais il a raison pour ce qui est de Mister X : c'est un dingue lui aussi. Vu que Mister X, c'est Max. Il y a même **un X dans son nom** !

– Ne t'emballe pas, Joe. Je ne pense pas que Max Monroe soit fou. C'est un curieux personnage, ça, d'accord. Mais givré, non. Je pense qu'il dit la vérité lorsqu'il prétend avoir reçu un message d'Ollie et être arrivé sur les lieux après sa mort. S'il l'avait tué, tu peux être certain qu'il lui aurait tiré le portrait !

« Bonne remarque », pensai-je.

Frank continua :

– Ollie voulait parler à un journaliste. Il *savait* quelque chose.

– Au sujet des Big Air Games ?

– Tu ne comprends pas ? Il connaissait l'identité de Mister X ! Et je te parie que c'est un élément de l'article de Max qui la lui a indiquée. C'est pour cette raison qu'il a téléphoné au journal !

Ça tenait debout, je devais le reconnaître

– Il nous faut cette fichue édition du soir ! déclarai-je.

La serveuse apporta nos plats. Nous englou-tîmes notre poulet *lo mein* et nos crevettes *moo shu* à la vitesse éclair. Nous avions hâte de jeter un coup d'œil sur le reportage, mais la serveuse mit une éternité à apporter notre addition.

Enfin, nous pûmes payer et repartir à notre hôtel. Nous arrêtant devant un kiosque, nous achetâmes le *Philadelphia Freedom Press*.

J'examinai les photos de la première page. Il y en avait une de Gongado Lopez, emmené sur un brancard ; une de Jenna, Frank et moi penchés sur Jeb Green, au-dessus de la rampe ; et une de Carter Bean, le secouriste, pouce levé derrière la vitre arrière de l'ambulance.

– Hé, on fait les gros titres ! m'exclamai-je.

– Viens, bon sang ! s'agaça Frank, qui m'entraînait à sa suite. On lira ça à l'hôtel !

Quelques minutes plus tard, nous traversions le hall du Four Seasons, nous faufilant parmi les skaters, pilotes de cross et autres sportifs. À la réception, nous demandâmes au préposé chauve si nous avions des messages.

Il se retourna pour vérifier, en soupirant. Il avait l'air encore plus fatigué que la veille, si c'était possible.

– Voici pour vous, dit-il en remettant plusieurs enveloppes à Frank.

Mon frère le remercia, mais attendit d'être dans l'ascenseur pour les examiner.

– Voyons voir. Ah ! La première est pour toi, Joe ! Mignon tout plein.

Il me tendit une enveloppe où mon nom était rédigé à l'encre rose, d'une grande écriture tarabiscotée. Je l'ouvris et lus à voix haute :

– *« Salut, Joe ! Merci d'avoir rendu visite à Jeb à l'hôpital et de lui avoir apporté les fleurs. Il a apprécié. Il m'a laissé un message pour me dire qu'il vous a trouvés vraiment sympa, et qu'il vous envoie quelque chose qui pourrait vous intéresser. J'ignore de quoi il s'agit. À part ça, j'assiste au repas des athlètes, ce soir. Après, je me coucherai tôt. Demain, c'est le grand jour ! On se voit au tournoi. Jenna. »*

– Hein ? « Jenna », c'est tout ? me railla Frank. Pas : « Bisous, Jenna », ou : « À toi pour la vie, Jenna » ?

– Mêle-toi de tes affaires, dis-je, souriant pour moi-même.

Nous sortîmes de l'ascenseur et gagnâmes notre chambre, où nous nous affalâmes sur un lit. Je me mis à lire l'article sur Mister X pendant que Frank ouvrait la deuxième enveloppe.

Il me montra deux badges en plastique :

— Tu as vu ? ATAC nous envoie des laissez-passer pour le tournoi. D'après nos badges d'identité, nous sommes journalistes d'un magazine de jeunes qui s'appelle *Shredder*.

— Cool.

Frank ouvrit la troisième enveloppe, plus grande que les autres et bourrée de coupures de journaux.

— C'est quoi ? fis-je.

— Je ne sais pas. Ah, attends, il y a un mot. C'est de Jeb : « *Salut, Frank, salut, Joe ! Merci pour la visite ! Ma mère est passée me voir juste après votre départ. Elle m'a apporté mes albums pour m'aider à passer le temps. Depuis tout petit, je collectionne tous les articles que je peux trouver sur le skate. Donc, j'étais en train de feuilleter mes albums, et je tombe sur des articles au sujet de... devinez qui ? Ollie Peterson ! Je pense que vous aimerez les consulter, alors je demande à maman de les déposer à votre hôtel. J'espère que vous y trouverez de quoi faire avancer l'enquête ! À plus ! Jeb.* »

Frank sortit plusieurs coupures de presse et les étala sur le lit.

— Jeb est sympa de nous les avoir passées. Dommage que ça ne nous serve plus à rien, observai-je.

– On ne sait jamais. Il pourrait y avoir des éléments révélateurs dans tout ça.

– Ollie est mort, Frank. Tu peux le rayer de la liste des suspects.

– Papa prétend que le meilleur moyen de coincer un tueur est d'enquêter sur sa victime. En général, il y a un lien entre les deux. Un meurtre est rarement le fait du hasard.

– OK, très bien, jette un coup d'œil, dis-je. Moi, je continue à lire l'article sur Mister X.

– Tu trouves quelque chose d'intéressant ?

– Rien de nouveau. Mais les légendes des photos sont plutôt comiques ! Écoute ça. Celle du cliché où nous sommes penchés sur Jeb : *Choc eXtrême : des jeunes terrorisés réconfortent Jebediah Green, la star du skate victime du tireur.*

– Des « jeunes terrorisés » ?

– Oui. Et ce n'est pas tout. Sous la photo du type de l'ambulance, ils mettent : *Le vrai héros du tournoi : le secouriste Carten Bean sauve des vies, et conquiert le cœur de la jeunesse déboussolée.*

– La « jeunesse déboussolée » ? Non, mais j'hallucine ! Tu as raison. Ce journaliste est vraiment barjot !

Je continuai ma lecture. Puis une idée me traversa l'esprit :

— On avait une quatrième enveloppe, non?

— Oh oui, au fait, où est-elle passée? fit Frank, soulevant les articles de presse sur Ollie. Ah, la voilà! Beau papier!

Il l'ouvrit et lut la missive.

— C'est quoi?

Frank ne répondit pas. Il se contenta de fixer le feuillet, d'un air sonné.

Je lui ôtai le papier des mains, et en pris connaissance à mon tour.

C'était un message de trois lignes, nettement dactylographiées en capitales:

ARRÊTEZ DE POSER DES QUESTIONS
ET N'ALLEZ PAS AU TOURNOI
SI VOUS TENEZ À VOTRE PEAU.

Pas très inventif, comme lettre de menaces. Mais ça faisait de l'effet.

10. C'est parti !

Je me sentais nerveux, le lendemain matin au réveil.

Les Big Air Games allaient commencer alors qu'un tueur fou en liberté agressait, blessait et empoisonnait les gens dans le milieu des sports extrêmes. Et nous avions reçu des menaces. La mission *Danger extrême* portait bien son nom !

Le temps pressait, nous n'avions plus de suspect plausible. « Qui est Mister X ? » demandaient les journaux. Nous n'en avions pas l'ombre d'une idée !

Je secouai Joe dans son lit :

— Debout ! On a un criminel à attraper ! Du nerf !

– On y va, on y va, marmonna Joe, à demi endormi. Amène-moi ce pourri, que je lui dise deux mots !

– Je te parie qu'il ira au tournoi ! Et nous aussi ! Bouge-toi !

Une fois douchés et habillés, nous descendîmes dans le hall. L'hôtel avait servi un gigantesque petit déjeuner pour les athlètes invités. Les sportifs et leurs fans étaient tous là, plongés dans le journal du matin et parlant de Mister X.

Je jetai un coup d'œil sur le *Freedom Press* abandonné sur une table. La une proclamait : MISTER X FRAPPE ENCORE : UN EX-CHAMPION DE SKATE ASSASSINÉ !

Il y avait de vieilles photos d'Ollie du temps de sa jeunesse – et un cliché de son cadavre recouvert d'un drap, devant sa boutique.

Joe alla chercher des bagels et des jus de fruits. Je m'assis et me mis à lire. La déclaration officielle de la police confirmait la présence de poison dans le café d'Ollie. Mais l'article de Max Monroe ne mentionnait pas que la victime avait tenté de contacter le journal avant sa mort.

– La série des mauvaises nouvelles continue ? dit soudain Jenna Cho.

Elle venait d'arriver devant notre table, un

grand verre de jus d'oranges pressées et une assiette de fruits frais à la main.

– Je peux m'asseoir près de vous ? enchaîna-t-elle.

– Bien sûr. Joe est allé chercher des bagels. Tu es au courant pour Ollie, évidemment ?

Elle acquiesça d'un air sombre.

– Quel coup tordu ! Ce type était odieux, d'accord. Mais il ne méritait pas qu'on le tue !

Joe revint avec un grand plateau – et un large sourire.

– Jenna ! Quoi de neuf ? Prête pour la compétition ?

– Tu plaisantes ! Je vise carrément la victoire ! L'épreuve de figures libres a lieu cet après-midi.

Joe s'attabla, et dit en la regardant dans les yeux :

– La situation est grave. Je m'inquiète pour toi.

– Je ne vais quand même pas abandonner maintenant ! Je me suis entraînée trop dur pour renoncer. De toute façon, j'aime le risque : avant-hier, j'ai filé mon numéro de chambre à un garçon bizarre.

– Un garçon bizarre ? fit Joe, choqué. Qui ça ?

– Hé, elle parle de toi, Einstein ! lui lançai-

115

je sans même lever les yeux de mon journal.

Après avoir déjeuné, nous souhaitâmes bonne chance à Jenna, qui se dépêcha de rejoindre les autres athlètes dans la navette pour le stade. Joe et moi gagnâmes le parking et enfourchâmes nos motos. Les Big Air Games s'ouvraient dans un des quatre stades du sud de Philadelphie. Plus nous approchions de ce secteur, plus le trafic devenait intense. Mais nous pûmes nous faufiler, et arrivâmes même en avance.

Le complexe sportif était une gigantesque foire.

À l'entrée, une banderole géante proclamait : LA VILLE DE PHILADELPHIE EST FIÈRE D'ACCUEILLIR LES BIG AIR GAMES. Des centaines de fans des sports extrêmes faisaient la queue aux portes. Des parents munis de jumelles et des enfants en skate déambulaient dans un labyrinthe de buvettes et stands de souvenirs. Certaines marques d'équipements sportifs distribuaient même des casquettes et des T-shirts !

— Démentiel, marmonna Joe.

Je lui désignai deux véhicules de la télévision. Des hommes déchargeaient du matériel devant une vaste tente. Une pancarte précisait : ACCRÉDITATION PRESSE.

— Viens, dis-je à Joe. Profitons de nos laissez-passer pour éviter la file d'attente.

Nous roulâmes jusqu'à la tente et nous garâmes près d'une des fourgonnettes.

— N'oublie pas, on est reporters au *Shredder magazine*, chuchotai-je à Joe avant d'entrer.

— Frank! Joe! Qu'est-ce que vous fichez là?

Nous aurions dû nous douter que nous tomberions sur Maxwell Monroe! Il nous entraîna vers le bureau d'enregistrement. Une grande femme prit nos badges pour relever nos numéros d'identification, et salua Max.

— Vous êtes journalistes? remarqua ce dernier. J'aurais dû le deviner! Vous posez beaucoup trop de questions! Alors, prêts pour d'extrêmes dangers aux sports extrêmes? Hé, pas mal, comme titre! Je devrais l'utiliser pour ma prochaine manchette! Avec un peu de chance, Mister X devrait nous réserver une «apparition spéciale» aujourd'hui. N'est-ce pas, les garçons?

« Abruti, va! »

— Allons-y, Joe, dis-je en saisissant mon frère par un bras. Essayons d'obtenir une ou deux interviews en prélude à la compétition.

— À plus tard! nous cria Max.

La cérémonie d'ouverture était sur le point de commencer. Nous dénichâmes rapidement une place près des vestiaires, avec une vue dégagée sur le terrain.

Un chroniqueur sportif de Channel 7 s'avança au centre du podium. Il prononça quelques mots d'introduction, qui résonnèrent à travers les haut-parleurs, avant de conclure :

— Et je suis fier de vous présenter les champions des sports extrêmes de ce tournoi !

Les fans laissèrent éclater leur enthousiasme.

Sur le terrain, ce fut un déferlement d'activité. Un orchestre d'heavy metal se déchaîna dans une explosion de sons. Des feux d'artifice jaillirent. Des centaines de sportifs envahirent le stade.

Où poser les yeux ? Les patineurs de vitesse en ligne se déployaient en cercle autour de la piste. Des skaters grimpaient et redescendaient en flèche les enfilades de rampes. Des sauteurs à l'élastique étaient hissés dans les airs par de gigantesques grues. Une petite armée de motards de cross s'élancaient à toute allure sur le circuit démentiel du « Monster Loop », en boucle ascendante et descendante, en une succession rapide comme une salve de coups de feu.

— Ouaou ! Géant ! m'écriai-je.

— Regarde, voilà Jenna ! s'exclama Joe en désignant les rampes.

Elle était facile à repérer, avec sa planche rose pétant.

– Et Eddie Mundy ! Avec le bandana rouge, fis-je.

Joe le suivit du regard :

– On devrait avoir l'œil sur lui.

Soudain, toute l'activité cessa. Les athlètes s'alignèrent, redressant les épaules : les musiciens attaquaient l'hymne national aux guitares électriques.

À la fin du chant, une voix annonça :

– Que le tournoi commence !

Un certain nombre de sportifs quittèrent lentement le terrain. Je dis à Joe :

– Suis-moi ! On tient l'occasion de discuter avec les concurrents dans les abris.

Nous dévalâmes les gradins afin de nous approcher le plus possible. Un garde de sécurité nous arrêta.

– Il n'y a que les concurrents qui seront admis au-delà de cette ligne, grommela-t-il.

Nous brandîmes nos cartes de presse.

– Bon, allez voir, ils vous autoriseront peut-être à accéder aux vestiaires.

À l'entrée des vestiaires, un deuxième garde nous permit de franchir le barrage à la vue de nos laissez-passer. Il n'y avait pas grand monde à l'intérieur. Quelques athlètes faisaient des étirements. D'autres s'occupaient de leur équipement.

Un garçon coiffé d'une iroquoise nous accueillit avec un sourire de dédain :

— Hé, les deux BCBG ! Qu'est-ce que vous fichez ici ?

— On est journalistes, dis-je. Accepteriez-vous de répondre à une ou deux questions ?

— Dégage ! Retourne dans ton collège !

— Ouais ! brailla un deuxième. Entrez dans la danse ou allez-vous-en !

Joe me tira par la manche.

— Partons, Frank, me souffla-t-il, j'ai une idée.

Une fois dehors, il m'entraîna loin du garde, et sortit de sa poche deux laissez-passer officiels pour les athlètes des Big Air Games.

— Où les as-tu eus ?

— Ils étaient tombés sous un banc. Je les ai repérés, et les ai piqués pendant que tu parlais aux deux types.

— Les gardes nous ont vus, Joe, fis-je observer d'un ton sceptique. Ils nous considèrent comme des reporters, pas des concurrents.

Mon frère eut un large sourire :

— Que dirais-tu d'un changement de look radical, Frank ?

Un instant plus tard, nous roulions à travers les rues de Philly, en quête d'une boutique adéquate. Mais nous n'étions pas en veine. Enfin, Joe se rabattit vers le trottoir.

– Regarde, me déclara-t-il en désignant l'autre côté de la rue. Je te parie qu'on trouvera ce qu'il nous faut là-dedans.

Je me retournai :

– Tu te fiches de moi ! m'exclamai-je.

La boutique s'appelait Dément Shop. Apparemment, c'était un magasin de vêtements vintage. Il y avait deux mannequins en vitrine : l'un était revêtu d'une robe de mariée et d'une veste de chasse ; l'autre, d'un maillot de plongée et d'une perruque violette.

– Allons, suis-moi, lança Joe.

Il n'y eut pas moyen de s'opposer à lui ! Décrivant un arc de cercle pour gagner le trottoir d'en face, nous nous garâmes devant la boutique.

Une clochette tinta quand nous franchîmes le seuil. Deux filles levèrent les yeux vers nous d'un air interdit. Assises dans d'antiques fauteuils de barbier, elles lisaient des magazines. Et leur aspect était aussi déjanté que celui des mannequins de la vitrine.

– Je peux vous aider ? demanda la plus grande. Je m'appelle Holly.

Elle avait des cheveux bleu vif et hérissés et portait un jean maintenu par des épingles à nourrice.

– Et moi, je suis Weird, dit l'autre.

Son visage était poudré de blanc. Tout le reste – cheveux, lèvres, vêtements – était noir.

Joe se chargea des explications :

— Nous avons besoin de changer de style. Ça peut être le genre pilote de motocross, skater, punk... Peu importe, pourvu que ça dégage. On voudrait avoir l'air... *extrême*. Vous pouvez nous aider ?

Les deux filles se dévisagèrent – et sourirent jusqu'aux oreilles.

Holly saisit Joe par les épaules et le poussa vers la cabine d'essayage, avant de prélever des vêtements sur un présentoir.

— Tiens, essaie, dit-elle en lui donnant une pile de pantalons, chemises et accessoires.

Celle qui s'appelait Weird me regarda, puis, avec un petit mouvement de l'index :

— À ton tour !

— Mais je ne..., commençai-je.

Toute résistance fut vaine. Elles étaient ravies de nous métamorphoser. Pour elles, nous étions deux sortes de poupons géants avec lesquels elles pouvaient s'amuser. Elles nous firent enfiler des survêts en nylon, des pantalons en peau de serpent, des bermudas fleuris de surfer...

Pour finir, Joe se retrouva avec une chemise noire de star de punk rock, un pantalon de baroudeur extra large, et un blouson tendance.

Et moi ? Elles me mirent un treillis de camouflage, des boots noirs, un débardeur noué-teint, et une veste en cuir.

– J'adore, s'exclama Holly en reculant pour admirer son œuvre. Vous avez l'air barbare.

Je me plaçai près de Joe pour me regarder dans le miroir.

C'était vraiment cool, il fallait le reconnaître !

– Vous savez ce qui finaliserait votre look ? lança Weird en brandissant une tondeuse électrique. Des iroquoises !

– Ah oui ! Tout à fait ! approuva Holly.

Je secouai la tête en riant :

– Une iroquoise ? Pas question !

– Moi, je le fais, déclara Joe.

Je voulus discuter, mais il avait déjà bondi dans un fauteuil de barbier. Weird fit pivoter le siège, jeta une serviette autour du cou de mon frère et brancha la tondeuse.

– Assieds-toi, dit Holly.

Et elle me poussa dans l'autre fauteuil.

– Hé ! Non ! Attendez ! protestai-je. Je ne veux pas couper mes cheveux !

– Alors, je vais juste les teindre en bleu, dit-elle, saisissant un aérosol. Ça part au shampooing.

— Fais-le, quoi ! insista Joe.

— Oh, bon, OK, on y va, soupirai-je.

Je fermai les yeux. Holly se mit à bomber, et Weird à tondre. *Bzzzzzzz.*

Joe

11. Moto en flammes

« J'ai drôlement froid au crâne ! »

Je fonçais à moto, derrière Frank, à travers les rues de Philadelphie. On avait pas mal vagabondé lors de notre périple jusqu'à Dément Shop, alors Frank utilisait son GPS pour retrouver le stade. Je suivais.

Frank avec des cheveux bleus, ça me donnait quand même envie de rigoler ! Et puis je me rappelai mon iroquoise. Maman et tante Trudy allaient me faire la tête au carré !

Mais il était un peu tard pour m'en inquiéter, maintenant. J'avais le crâne lisse et tout rasé, avec juste une crête hérissée en plein milieu.

D'ailleurs, j'avais un look d'enfer. Et je

reconnais que Frank aussi avait l'air super cool.

Enfin, nous vîmes la banderole des Big Air Games. Nous passâmes devant la tente de la presse, puis contournâmes le stade jusqu'à l'entrée des athlètes. Un garde leva la main pour nous arrêter. Nous dégainâmes nos laissez-passer – ceux que j'avais subtilisés aux vestiaires – et il nous livra passage.

Nous roulâmes sur une montée en ciment, et redescendîmes un long couloir. Il donnait droit dans le stade, sur le côté sud du terrain.

Nous devions avoir une sacrée allure, car la foule applaudit notre arrivée.

Je suggérai à Frank :

– On devrait faire quelques cascades !

J'agitai le bras en direction de la foule, qui éclata de nouveau en vivats.

– J'adore !

– Arrête ton cirque, Joe, dit Frank en descendant de moto. Allons voir les athlètes.

– Et mes fans, alors ? Ils me réclament ! Hé, Frank ! Attends !

Je mis pied à terre et courus après mon frère. Nous dépassâmes un groupe de patineurs de vitesse, et faillîmes entrer en collision avec Maxwell Monroe.

– Pardon, excusez-moi, marmonna le journaliste.

Puis, avec un haut-le-corps :

– Hé, minute ! Mais c'est vous, les garçons ! Laissez-moi vous regarder un peu ! Fuiou ! Super, vos déguisements ! Alors, là, c'est un bon truc pour infiltrer au plus près le milieu des sports extrêmes. Très malin. J'aimerais bien faire comme vous, mais je suis beaucoup trop vieux pour parader avec une iroquoise ou des cheveux bleus.

– Baisse un peu ta radio, Max, chuchotai-je. Tu vas griller nos couvertures.

Il sourit.

– Bien sûr, petit. Je comprends. Entre journalistes, on se serre les coudes. Mais laissez-moi vous donner un conseil, les gars.

« Il va encore remettre ça ? »

Max se pencha vers nous et chuchota :

– Lorsque Mister X passera à l'action aujourd'hui – *et il le fera* – vous n'aurez sûrement pas envie de vous trouver dans sa ligne de mire. J'éviterais d'approcher les athlètes d'un peu trop près, si j'étais vous.

Il ajouta alors quelque chose qui avait comme un parfum de déjà entendu :

– Et restez hors du terrain… si vous voulez être à l'abri !

Je décochai un coup d'œil à Frank. Il ne réagit pas à ces paroles.

Après avoir salué Max, nous le regardâmes se fondre dans la foule.

– Tu as entendu ? fis-je. Pratiquement les mêmes mots que dans l'avertissement qu'on a reçu : *Et n'allez pas au tournoi si vous tenez à votre peau.*

– Ce n'est peut-être qu'une coïncidence, dit Frank.

– Ou tout le contraire ! Il semble un peu trop sûr que Mister X frappera aujourd'hui.

– C'est un journaliste, Joe. Il *espère* que Mister X se manifestera.

Tout en parlant, nous faisions le tour du terrain. Nous arrivâmes bientôt au niveau des abris des skaters. Je repérai Jenna et la hélai. Elle me regarda comme si j'étais un parfait étranger. « Oh, oui, au fait, l'iroquoise », me rappelai-je.

– Jenna ! C'est moi, Joe !

Elle plissa les paupières, puis sourit et accourut :

– Ouaou ! Sauvages, les Hardy ! J'adore !

Et elle passa les doigts dans ma crête.

– Où est ton skate ? lui demandai-je.

– Là-bas, dans les abris.

– Écoute, garde-le tout le temps avec toi, d'accord ? Et vérifie les roues, l'axe, tout. Assure-toi que personne n'a trafiqué ta planche. Et recommande aux autres de faire pareil, OK ?

– OK.

Elle nous apprit que sa compétition commençait dans une heure, dans le stade voisin.

– J'y serai, promis-je.

Après avoir dit au revoir à Jenna, nous nous dirigeâmes vers l'extrémité nord du terrain. Nous n'avions pas encore discuté avec un seul pilote de motocross.

Tout à coup, mon frère s'immobilisa :

– Tu sais, Joe, ton conseil à Jenna est très intelligent. Personne ne devrait laisser son équipement sans surveillance.

– Merci ! Tu ne me fais jamais remarquer que je suis intelligent. C'est quoi, le piège ?

– Le piège, c'est d'abandonner nos motos là-bas. On pourrait les trafiquer.

– Oh. C'est sûr. Donc, je ne suis pas si intelligent que ça.

Frank rigola.

– Viens. Allons les chercher. On remontera le terrain avec.

Alors que nous repartions en sens inverse, une voix nous apostropha :

– Tiens, tiens… Voyez-moi un peu ces frimeurs !

C'était Eddie Mundy. L'arrogant skater avançait vers nous, un sourire railleur aux lèvres.

Il ne l'effaçait donc jamais ?

Eddie stoppa devant nous, nous barrant le chemin.

— Vos nouvelles tenues sont d'enfer. Mais vous restez quand même très BCBG, nous asticota-t-il après nous avoir jaugés d'un coup d'œil. Laissez tomber, les gars. La teinture bleue et l'iroquoise ne trompent personne.

— Ignore-le, me chuchota Frank. On continue à marcher, c'est tout.

Mais Eddie ne s'avoua pas battu. Lorsque nous tentâmes de le contourner, il nous prit par les épaules et avança avec nous.

— Écoutez, reprit-il un ton plus bas, je sais qui vous êtes. Sérieux.

Je chassai sa main posée sur moi d'un haussement d'épaule :

— De quoi veux-tu parler ? On t'a raconté quoi ?

— Ça y est, c'est reparti pour un interrogatoire, soupira Eddie. À force de poser des questions, vous aurez des ennuis… Je suis sûr que vous me comprenez.

S'arrêtant net, Frank le dévisagea :

— Que veux-tu dire ?

— Je vous dis : laissez tomber. Allez-vousen. Tout de suite ! déclara Eddie.

Il nous saisit chacun par un bras pour le serrer fort.

Puis il nous relâcha, et s'éloigna.

Un instant, nous gardâmes le silence. Enfin, je me tournai vers Frank, le regardant droit dans les yeux :

— Ça commence à devenir bizarre ! Qu'est-ce qu'il se passe ?

— Je n'en sais rien. Mais j'ai l'intention d'en avoir le cœur net ! s'échauffa-t-il.

Les mâchoires serrées, il partit à vive allure vers nos motos, à l'autre bout du stade. Je le suivis du regard, figé sur place.

« Du calme, Frank. Reste cool. »

Mais bon, je n'allais pas le laisser se charger tout seul de Mister X ! On formait une équipe.

— Hé, attends ! criai-je en m'élançant à sa suite.

Après une petite pause pour regarder un saut à l'élastique, nous atteignîmes l'extrémité sud du terrain sans problème : personne ne menaça de nous tuer si nous ne décampions pas !

Nos motos avaient l'air intactes. Frank insista pour qu'on les examine à fond avant de démarrer.

— On a pu couper les canalisations de freins, perforer les réservoirs… Ce ne sont pas les possibilités qui manquent !

— RAS, déclarai-je après une rapide inspection.

— Revérifie.

— Frank !

— Revérifie, je te dis ! Ce n'est pas de la rigolade, Joe ! Les gens savent qu'on a posé des questions. Max et Eddie nous ont conseillé d'arrêter. Peut-être qu'ils sont inquiets. Peut-être que ce sont des tueurs. Comment savoir ? On ne peut courir aucun risque.

Une fois que Frank fut satisfait des inspections, nous enfourchâmes nos engins, emballant le moteur. Puis nous démarrâmes et roulâmes lentement autour du terrain.

Nous devions mettre en garde les pilotes de motocross : « Ne laissez jamais vos motos sans surveillance, pas une seconde ! »

Comme nous approchions de leur secteur, mon regard fut irrésistiblement attiré par le Monster Loop, qui s'élevait à l'horizon.

Il était gigantesque ! Il devait bien atteindre quinze mètres dans sa partie la plus haute ! Et plus j'en approchais, plus j'avais l'impression qu'il en mesurait trente ! Comment pouvait-on acquérir assez d'élan pour parcourir la totalité de la boucle sans se crasher ?

Je n'allais pas tarder à le savoir !

Six pilotes étaient en train de s'aligner, prêts à s'attaquer au circuit géant. Remontant le long des lignes latérales, nous garâmes nos motos.

Puis nous sautâmes à bas de nos engins et nous élançâmes au pas de course vers les pilotes.

– Attendez ! hurla Frank. Il faut qu'on parle !

Nous fûmes stoppés par un organisateur de la course :

– Il est interdit de franchir cette limite ! Tout le monde doit rester à distance jusqu'à ce que les cascades soient finies.

Frank essaya de parlementer. Il évoqua l'éventualité d'un sabotage, demanda si les pilotes avaient surveillé de près leurs machines.

– Sois tranquille, nous veillons à tout, lui assura l'homme. Avec Mister X en vadrouille, nous avons tous redoublé de précautions : plus de mesures de sécurité, plus d'inspecteurs, plus d'équipes de secours d'urgence... tout.

Je regardai autour de moi : les gardes se mettaient en place le long des lignes de touche ; une ambulance était en attente près du Monster Loop. Je ne me sentis pas mieux pour autant !

En deux jours, les urgences médicales, j'en avais eu mon compte !

Frank finit par renoncer à forcer le barrage que nous opposait l'organisateur, et vint se poster près de moi. Il regarda le Monster Loop en hochant la tête :

– Ce truc est effrayant.

– Infernal.

Les pilotes avaient emballé leurs moteurs, et étaient prêts. Un homme abaissa un drapeau, ils partirent. Ils firent voltiger la terre alors qu'ils fonçaient vers les premières séries de buttes. Bondissant et redescendant, les engins vrombissaient, s'élevaient dans l'air puis replongeaient vers le sol. Leurs roues allaient de plus en plus vite à chaque saut.

– Super ! criai-je.

Les six motards filèrent devant nous en ripant, s'élancèrent à l'assaut d'une butte encore plus grande, gagnèrent de la vitesse, atteignirent l'arrondi et jaillirent de nouveau en l'air, encore plus haut.

– Géant ! approuva Frank.

Enfin, ils entamèrent le dernier tour – ultime chance de prendre assez de vitesse pour le grand final...

Le Monster Loop.

Rapides, toujours plus rapides, leurs machines rugissantes volaient sur la piste.

Soudain, un détail me frappa. La roue avant d'une moto tremblait.

– Frank ! hurlai-je. Regarde, le numéro 4 a une roue qui frise !

Impuissants, nous vîmes le pilote se diriger tout droit vers le Monster Loop. Nous hurlâmes en chœur !

— Non ! Arrêtez !

Un pilote, et deux, puis trois s'engagèrent sur le circuit et s'élevèrent l'un après l'autre à dix, douze, quinze mètres du sol. Montant, montant, et redescendant.

Le numéro 4 était juste derrière eux. Il avait dû remarquer que sa roue avant avait un problème, mais il était sur sa lancée, incapable de s'arrêter. Il heurta la courbure de la piste et s'éleva à la verticale. Sa machine tout entière vibrait. Il monta de plus en plus haut, jusqu'à se retrouver presque à la renverse au sommet de la boucle.

— Il n'y arrivera pas, hoqueta Frank. Il va tomber !

Pourtant non, il ne tomba pas. La moto arriva au faîte de l'arc, puis redescendit.

Soudain, la roue avant céda d'un coup sec.

La moto se mit à labourer la bordure métallique du loop, faisant gicler une gerbe d'étincelles. Le pilote tenta de se renverser en arrière — mais alors toute sa machine glissa en avant, et culbuta en une chute interminable. Le numéro 4 acheva sa dégringolade au bas du Monster Loop. Les deux derniers concurrents réussirent à dévier de leur course et à l'éviter.

Ce n'était pourtant pas terminé.

La moto numéro 4 explosa.

Frank

12. Le motard en noir

« J'hallucine », pensai-je.

Mister X avait encore frappé !

Et nous n'avions pas pu le contrer à temps.

Alors que l'équipe technique de l'épreuve se précipitait avec des extincteurs vers l'engin en flammes pour éteindre l'incendie, les yeux rivés au sol, je repassai dans ma tête le film de la tragédie.

« Si seulement nous étions arrivés plus tôt ! Nous aurions pu les mettre en garde ! Nous aurions pu les avertir de vérifier leurs motos et prévenir le sabotage. »

Sonné, silencieux, je vis l'ambulance débouler sur les lieux. L'auxiliaire Carter Bean et son partenaire Jack descendirent et se précipitèrent vers le pilote. Sur la touche, Maxwell Monroe brandit son appareil et mitrailla la scène. J'avais l'impression de revivre une fois de plus le même cauchemar.

Tout à coup, le pilote touché se redressa, toussa et éleva les bras.

– Regarde ! Il s'en est tiré ! hurla Joe.

La foule poussa des vivats et des cris de joie.

Le pilote tenta de se relever. Mais Carter et Jack insistèrent pour l'allonger sur une civière. Ils voulaient sans doute s'assurer qu'il n'avait ni os cassés ni blessures. Ils le hissèrent dans l'ambulance, mirent le gyrophare et démarrèrent.

Mais, avant leur départ, Maxwell Monroe avait eu le temps de photographier encore Carter et son patient à travers la vitre arrière.

Fans et athlètes, tout le monde applaudit lorsque le véhicule quitta le stade. Je relevai la tête vers Joe, ne sachant que dire.

– On a essayé, Frank, fit-il valoir. On a fait ce qu'on a pu.

– Allons parler aux pilotes. Ils ont peut-être repéré un suspect.

Nous nous approchâmes d'un groupe de motards qui étaient avec l'équipe technique de cross. Tous parlaient de «l'accident» :

– Tu crois que c'était un coup de Mister X ?

– Sûrement !

– Je n'en reviens pas que Mike soit sain et sauf ! Vous avez vu cette chute, bon sang ! À la renverse !

– Mike a de la veine d'être vivant !

J'interrompis la conversation pour leur demander s'ils avaient remarqué quelque chose de bizarre avant la course.

– Avez-vous vu traîner quelqu'un près des motos ? m'enquis-je. Quelqu'un que vous ne connaissiez pas ?

Un pilote à cheveux longs secoua la tête :

– Non. Il y a trop de contrôles dans le secteur. Tout le monde est inquiet à cause de Mister X.

Un autre pilote approuva :

– Les gens que j'ai vus avaient tous une accréditation officielle : gardes, équipe technique, inspecteurs de la sécurité...

Je hochai la tête. Ils se remirent à parler de Mike McIntyre – le numéro 4 – et de son invraisemblable crash dans le Monster Loop. Apparemment, Mike n'était pas seulement une star du cross, c'était aussi un garçon formidable. Tout le monde l'aimait.

– Et lui, là-bas, qui est-ce ? demandai-je en désignant la touche.

Au milieu de la foule, un motard tout de noir

vêtu se tenait sur une moto noire aussi, comme son casque. Sa visière était baissée, je ne pouvais pas voir son visage.

— Ben, je l'ignore, lâcha le pilote à cheveux longs. Je ne l'ai jamais vu.

Je demandai aux autres s'ils le connaissaient. Ils firent signe que non. Lorsque je me retournai vers le motard mystérieux, il avait disparu.

— Frank, il faut y aller, dit Joe, après avoir consulté sa montre. C'est bientôt l'heure, pour Jenna.

J'aurais préféré rester dans les parages pour chercher le motard en noir – mais mon frère avait promis à Jenna que nous irions l'encourager. Nous enfourchâmes nos motos et prîmes la direction de la plus proche sortie.

Dehors, il nous fallut une éternité pour louvoyer entre les stands et les buvettes, et gagner le stade voisin. Mais, grâce à nos coupe-files, nous pûmes y entrer à moto – juste à temps ! L'épreuve féminine de skate était sur le point de commencer.

— Hé, Jenna ! Ohé ! appela Joe, apercevant son amie sur un banc.

Jenna prit sa planche et courut nous rejoindre :

— Salut ! C'est génial que vous ayez pu venir !

– De justesse, lui dis-je.

– Je suis hyper motivée, déclara-t-elle avec un large sourire. Je suis prête à remporter la médaille d'or ! Tu vas voir !

Puis, avec une expression changée :

– Et de votre côté, il y a du nouveau ? Mister X s'est manifesté ?

Je jetai un coup d'œil à Joe. Il me décocha un regard bref, puis sourit à Jenna :

– Non. Y a pas de souci. Vas-y, montre-leur de quoi tu es capable !

Jenna nous étreignit l'un après l'autre, puis repartit en courant vers le banc des skaters. Je considérai Joe en haussant les sourcils.

– Ben quoi ? fit-il. Je n'allais pas lui annoncer la mauvaise nouvelle maintenant ! Ça nuirait à sa concentration.

Je souris :

– Joe et Jenna sont dans un bateau…

– Cause toujours, Frank.

Nous regardâmes la première concurrente, une jeune fille de Floride. Elle était époustouflante, évoluant sur la rampe comme une vraie pro. Ensuite, ce fut au tour de Jenna.

Je vis que Joe était nerveux : il n'arrêtait pas de serrer et desserrer les poings.

« Faites qu'il n'y ait pas encore un accident », pensai-je.

Jenna se plaça au bord de la rampe. Elle prit une profonde inspiration, puis sauta sur sa planche et se lança sur la courbe en ciment. Elle pivota, tourna, s'élança vers le sommet de la rampe, bondit et virevolta dans les airs comme une ballerine, souple et gracieuse. Je n'avais jamais vu exécuter des figures de cette façon.

– Oui, super, Jenna ! cria Joe, près de moi.

Elle termina sa prestation par un 540 incroyable, qui mit la foule en délire.

– Bien joué, ma belle ! hurla Joe.

Comme je me tournais pour lui lancer une vanne à propos de son choix de mots, je repérai quelqu'un sur la ligne de touche.

Le pilote en noir.

Il se tenait sur sa moto de cross, les bras croisés sur la poitrine. Il portait toujours son casque – masquant son identité. Quelque chose, en lui, me mettait les nerfs à vif.

– Regarde, Joe, dis-je en le désignant.

Joe fit volte-face.

Le motard mystérieux nous repéra. Il se redressa d'un bond, mit les gaz et démarra.

– Viens ! Prenons-le en chasse ! criai-je à Joe.

Nous bondîmes sur nos motos et nous hâtâmes de faire ronfler nos moteurs. En un clin d'œil, nous fûmes lancés à travers le stade, à la poursuite acharnée du mystérieux pilote de cross. Les spectateurs, déchaînés, applaudissaient et poussaient des acclamations. Ils pensaient sans doute que nous faisions partie du spectacle.

Or, cela n'avait rien d'un jeu !

Plus nous redoublions de vitesse, plus le motard en noir redoublait de témérité – montant en flèche à gauche, dérapant à droite, puis se dirigeant droit sur les rampes en béton. Nous faillîmes être éjectés de nos motos, mon frère et moi, lorsque nous atterrîmes sur le béton. Nous dérapâmes de côté et d'autre entre les pentes incurvées tels deux pendules.

Finalement, le motard en noir sauta de la dernière rampe et atterrit rudement sur le sol. Ses roues patinaient sur le gazon. Nous le serrions de près, et il en avait conscience. Alors, il se dirigea vers la piste de patinage de vitesse en ligne.

Joe et moi jaillîmes de la dernière rampe. Notre atterrissage fut brutal, mais nous réussîmes à stabiliser nos machines et à décoller à sa poursuite.

Une fois sur la piste bétonnée, le mystérieux motard n'avait plus une chance. Sa moto de cross n'avait pas la puissance de nos bolides. Mais il avait un temps d'avance. Prenant le tournant, il freina à mort et réussit à faire demi-tour en débordant de la piste.

Nous le dépassâmes à fond la caisse – au beau milieu d'une course de patinage de vitesse en ligne. Heureusement, les concurrents nous avaient vu venir. Ils se dégagèrent de notre trajectoire, patinant si rapidement de côté et d'autre qu'on aurait pu les prendre pour un tourbillon. Enfin, nous nous retrouvâmes en terrain dégagé.

Mais où était passée notre cible ?

Pilant sec, nous balayâmes le stade d'un regard circulaire.

– Là-bas ! cria Joe, l'index pointé en avant.

Le motard en noir jaillit de derrière une rampe. Il se dirigea droit vers la sortie sud – et disparut.

Pas question de renoncer ! Je fis signe à Joe, et nous partîmes comme des flèches vers la sortie. Propulsés au sommet du ralentisseur, nous traversâmes en trombe un couloir obscur. Des gens criaient et s'écartaient d'un bond sur notre passage. Quelques secondes plus tard, nous sortions du stade – confrontés au dédale de buvettes et de stands.

Où était notre homme ?

Je dérapai et m'immobilisai, heurtant avec ma roue arrière un stand de tir à la cible. Une ribambelle d'animaux en peluche me dégringola dessus.

— Désolé, madame, dis-je à la femme ahurie qui tenait le stand. Je paierai les dégâts, je vous le promets.

Je réenfourchai ma moto et roulai lentement à travers la foule, jusqu'à ce que je trouve Joe. Il mangeait un hot dog.

— Joe !

— Ben quoi, j'ai faim ! fit-il en avalant une bouchée.

J'allais répliquer lorsque je repérai le pilote en noir :

— Le voilà ! Il va dans le stade principal !

Joe flanqua le reste de son hot dog dans son sac de selle.

— Pour plus tard, expliqua-t-il.

Remettant les gaz, nous nous dirigeâmes vers l'entrée des athlètes. Quelques instants après, nous étions dans le stade, à la recherche du motard.

— Frank ! Je le vois !

Mon frère me désigna la piste de cross. Notre homme mystère tenta de se fondre au milieu des autres pilotes. Mais, comme il était le seul vêtu de noir de pied en cap, son plan échoua.

Nous remontâmes le terrain, à sa poursuite.

Dès qu'il nous vit, il fit gronder son moteur et prit la piste de course à plein régime. Nous passâmes la cinquième et le suivîmes. Quelques secondes plus tard, nous gagnions déjà sur lui… jusqu'au moment où nous atteignîmes la première série de buttes. L'allure de nos motos nous propulsait en l'air trop haut et trop loin. Nous atterrissions dans une secousse à vous pulvériser les os sur chaque sommet. Nos motos se cabraient à chaque cahot.

Le retour en terrain plat nous permit de reprendre de la vitesse : nous nous rapprochâmes rapidement de notre cible. Mais le mystérieux motard se dirigeait tout droit vers l'ultime et grande butte – à toute berzingue.

Plus haut, encore plus haut, toujours plus haut, il s'éleva dans les airs, Joe et moi derrière.

Hé ! ho ! attention !

Je crus une seconde que nous allions atterrir en plein sur lui. Descendant en vol plané, je regardai en dessous. Il rebondit hors de ma trajectoire en un éclair et continua sa course. Mais nous le talonnions de près.

À partir de cet endroit, il fallait y aller à plein régime. Droit dans le Monster Loop.

« Ah non, pensai-je, pas ça ! »

Impossible de revenir en arrière : nous étions trop près et nous roulions trop vite. Nous abordâmes à toute allure l'immense courbe ascendante du Monster Loop – le pilote de cross d'abord, Joe ensuite, et moi derrière. Le grondement de nos moteurs se répercutait autour de nous. Joe et le motard montèrent, très haut, de plus en plus haut, et soudain ils ne furent plus devant moi, mais *au-dessus*.

Mon estomac en fut tout retourné.

Et nous aussi.

C'était comme si le monde tournoyait sous mes roues. En regardant vers le bas, je ne vis plus que du ciel bleu. D'abord, je ne compris pas. Puis la lumière se fit en moi. J'étais la tête en bas !

Pas pour longtemps. Déjà, nous replongions vers l'autre versant de la boucle. Joe et le pilote de motocross étaient juste au-dessous de moi. Nous descendions vers le sol, maintenant – et vite !

Le motard plongea vers l'extérieur. Secouée, déportée sur le côté, sa moto rencontra brutalement le sol, roula hors du circuit – et se planta en beauté.

Joe et moi dûmes freiner à mort pour éviter de le heurter. Nous finîmes par nous arrêter. Nous sautâmes de nos engins et nous ruâmes vers le motard à terre.

Gisant près de sa moto, il gémissait. Mais il

n'était sans doute pas très atteint car, dès qu'il nous vit, il se releva d'un bond et tenta de prendre la fuite.

Nous l'immobilisâmes et le retînmes solidement.

– Eh bien, on va savoir qui tu es, Mister Mystère, fis-je.

Nous lui ôtâmes son casque.

Et, là, j'en restai comme deux ronds de flan.

13. "Rendez-vous à minuit"

Nous avions risqué notre peau, défié la mort – *et même roulé dans le Monster Loop* – tout ça pour quoi ?

Pour démasquer... *Chet Morton* ?

Chet était un de nos meilleurs copains, et, jusqu'à ce jour, nous n'avions jamais eu droit à un échantillon de son côté casse-cou. Il était vraiment le dernier que je me serais attendu à découvrir sous ce casque noir !

— Tu n'es pas Mister X, lui dit Frank.

— Tu serais plutôt Mister Embrouille, enchaînai-je. Qu'est-ce que tu fiches ici, Chet ?

Chet parut gêné :

— Ben... je suis passé vous voir hier, et votre

149

mère m'a appris que vous étiez aux Big Air Games. Sur le coup, ça m'a vexé que vous ne m'ayez pas invité à venir. Et puis je me suis douté que vous étiez sur une affaire. Alors, j'ai décidé de vous aider en infiltré. Exactement comme vous.

Il désigna mon iroquoise et les cheveux bleus de Frank.

— Quand vous m'avez repéré… j'ai paniqué, avoua-t-il. J'ai pensé que vous alliez me considérer comme un suspect.

— C'est exactement comme ça qu'on a réagi, figure-toi, dis-je.

À cet instant, l'équipe médicale et technique entoura Chet, pour s'assurer que tout allait bien. Nous discutâmes à l'écart, Frank et moi.

— Qu'est-ce qu'on fait ? demandai-je. Chet est capable de flanquer notre mission en l'air.

Frank haussa les épaules :

— Il pourrait nous aider. Ce ne serait pas la première fois.

— Oui, mais, lorsque c'est arrivé, nous n'étions que des amateurs. Maintenant, nous sommes des agents d'ATAC, Frank. Nous avons des missions importantes… qui impliquent de très gros risques.

— Tu l'as vu franchir ces énormes buttes et attaquer le Monster Loop ? Reconnais qu'il n'a pas froid aux yeux, Joe !

Frank n'avait pas tort.

Quelques minutes plus tard – Chet ayant convaincu l'équipe de secours qu'il était inutile de l'emmener aux soins d'urgence –, nous invitions notre ami à partager notre chambre d'hôtel, s'il n'avait pas de point de chute.

– Je peux ? Génial ! répondit-il.

Nous décidâmes de traîner un peu, pour suivre quelques épreuves. Et puis, une pensée me vint. *Jenna.*

J'expliquai à Frank et à Chet que je voulais retourner dans l'autre stade, et pourquoi. Ils ne furent pas emballés à l'idée de traverser encore une fois le dédale des stands et buvettes, mais ils acceptèrent. Aussi incroyable que ça puisse paraître, la moto de Chet était en état de rouler !

Alors que nous passions devant la tente des journalistes, Maxwell Monroe se mit à nous appeler.

– Joe ! Frank ! Je veux vous parler ! braillat-il à pleins poumons.

Frank leva les yeux au ciel :

– Il veut sûrement nous interviewer au sujet de notre course poursuite.

Nous n'étions pas d'humeur à répondre à ses questions. Alors, je me contentai d'adresser un signe de main à Max, et montrai ma montre

pour signifier que nous n'avions pas le temps.
Puis nous gagnâmes l'autre stade.

Jenna fut ravie de nous voir.

— J'étais folle d'inquiétude à votre sujet!
dit-elle. Qu'est-ce que c'était que cette course à
moto démente? Vous poursuiviez qui?

Nous lui présentâmes Chet. Puis j'enchaînai:

— Alors, tu as gagné?

Elle exhiba une médaille:

— J'ai la deuxième place!

— Félicitations! fis-je en l'étreignant. C'est
magnifique.

— Oui. Mais ce n'est pas la première.

— Hé, tu te rattraperas l'an prochain!

— Tu viendras me voir?

— Bien sûr.

— C'est promis?

— Juré-craché.

Je lui promis aussi de me joindre à elle et à
ses amis skaters, ce soir-là, pour fêter sa
médaille. Frank et Chet furent aussi invités,
évidemment.

Après avoir déniché des places assises, nous
suivîmes quelques compétitions. J'adorai le
concours de skysurfing: largués par avion, les
concurrents «surfaient» dans l'air, exécutant
toutes sortes de vrilles et de pirouettes

incroyables avant d'atterrir en parachute au milieu du stade. Vraiment grandiose.

J'aurais trouvé ça encore plus génial s'il n'y avait pas eu l'épisode de ma corde de parachute sectionnée, l'autre jour.

La suite de la compétition se déroula sans grande surprise, ce qui me convenait très bien. À notre arrivée à l'hôtel, affamés et éreintés, Frank, Chet et moi nous écroulâmes sur les lits.

Alors que nous envisagions de commander à manger, Frank remarqua que le voyant du téléphone clignotait.

– On a un message, dit-il en décrochant l'appareil et en pianotant sur les touches.

Il écouta, et pâlit.

– Frank, qu'est-ce qu'il y a ?

Lentement, il me tendit le récepteur, tout en pressant une combinaison de touches pour repasser le message. Je collai le récepteur à mon oreille.

– « Salut, Frank et Joe. »

C'était une voix éraillée et étouffée, qui faisait froid dans le dos.

– « Je connais l'identité de Mister X. »

Retenant mon souffle, j'attendis la suite.

– « Mister X est mal compris. En réalité, vous devriez le remercier. Aimeriez-vous en savoir davantage à son sujet ? »

Long silence. La voix se fit plus grave :

— « Retrouvez-moi à minuit. Ce soir. À Love Park. Et ne prévenez pas la police. Ce sera notre petit secret. »

Clic.

Le message était terminé.

Je raccrochai.

— C'était qui ? me demanda Chet.

— Personne.

— Eh bien, *personne* m'a tout l'air de vous avoir fichu une peur bleue. Qu'est-ce qui se passe ?

— Je le lui dis, Frank ? demandai-je à mon frère.

Frank s'assit sur son lit, fixant les coupures de presse éparpillées concernant la carrière tragique d'Ollie. Il semblait perdu dans ses pensées.

— OK, décida-t-il enfin.

Nous fîmes livrer trois cheese steaks dans notre chambre, et passâmes une bonne heure à mettre Chet au courant des détails de l'affaire Mister X – sans lui préciser, bien entendu, que nous étions des agents infiltrés en mission. ATAC était une organisation ultra secrète, de toute façon, il ne risquait pas d'en avoir entendu parler !

— Bon, je résume, histoire de voir si j'ai bien

compris, conclut Chet. Mister X a agressé quatre personnes, tuant l'une d'elles. Il vous a conseillé de cesser de poser des questions si vous vouliez rester en vie. Et vous avez l'intention de rencontrer ce dingue à minuit dans un parc ?

— Ouais, c'est à peu près ça, soupira Frank.

— Cool. Je peux venir avec vous ?

Je répondis :

— Non. Trop risqué.

Frank se tourna vers moi :

— Ce serait bien d'avoir un guetteur en renfort, Joe. Chet pourrait se poster à l'écart pour avoir l'œil. Comme ça, si ça tourne mal...

— Je déboule et je commence à distribuer des coups ! enchaîna Chet en prenant sa pose de kung fu la plus ridicule.

— Non, rectifia Frank, tu appelles la police. Marché conclu ?

— Marché conclu.

— Très bien. On met nos montres synchro.

Exactement quatre heures et trente-sept minutes plus tard, nous étions dans une boîte de nuit près de la place John F. Kennedy, pour fêter la performance de Jenna. Ses amis skaters étaient vraiment cool et marrants. Ils adoraient se déchaîner sur la piste. La musique avait un rythme d'enfer, les lasers flashaient – et, à la surprise générale, Chet se révéla le roi de la danse et de la cadence, le champion du rythme et du tempo.

— Allez, Frank ! hurla-t-il à mon frère, qui était assis près du bar. Bouge-toi et viens te défouler !

Je voyais que Frank était nerveux. Je l'étais aussi. Mais je m'efforçais de le cacher, pour que Jenna passe un bon moment.

— Tu connais un endroit qui s'appelle Love Park ? lui criai-je par-dessus la musique. Il est loin de JFK Plaza ?

— *C'est* JFK Plaza, répondit-elle. Tout le monde appelle cette place Love Park. C'est un haut lieu de l'histoire du skate, un des endroits les plus géniaux pour les tricks de rue. Il est légendaire. Aujourd'hui, la police arrête ceux qui veulent y faire de la planche. Mais il y a des jeunes que ça n'intimide pas. Ils sont prêts à prendre tous les risques pour pouvoir dire qu'ils ont fait du skate à Love Park. C'est une sorte de symbole.

— Tu y as skaté ?

Elle eut un sourire mystérieux :

— Une femme ne révèle jamais ses secrets intimes.

Survenant derrière moi, Frank me donna une petite tape sur l'épaule et me fit voir sa montre.

Il était bientôt l'heure. J'annonçai à Jenna que nous devions partir. Il se faisait tard.

– Oh, restez encore un peu ! plaida-t-elle. Il n'est même pas minuit !

Je lui assurai que j'étais désolé, que je la verrais le lendemain. Puis Frank, Chet et moi sortîmes du club. Nous nous enfonçâmes dans les rues obscures de Philadelphie.

– J'ai pensé que ce serait bien d'arriver un peu en avance pour trouver une planque à Chet, expliqua Frank.

La nuit était chaude et étouffante, l'air, humide et lourd. De gros nuages gris annonciateurs d'orage planaient sur la ville. Même les lampadaires aux halos tamisés semblaient affectés par la fournaise.

– Ça y est, nous y sommes, annonça Frank. Love Park.

Nous étions sur le point de rencontrer Mister X – ou, en tout cas, quelqu'un qui prétendait *le connaître*. Je repensai à la voix râpeuse, bizarre, du message téléphonique, et j'eus un frisson.

Nous nous approchâmes de la vaste fontaine circulaire qui occupait le centre de la place. Je regardai fuser dans l'air l'immense jet d'eau. Puis je balayai le parc du regard. Il était facile de comprendre pourquoi c'était l'endroit de prédilection des skaters. Il y avait un peu partout des bancs en marbre, des marches, des rebords : le rêve pour les tricks de rue.

S'immobilisant devant une haute sculpture moderne, Frank commenta :

– C'est à cause de ça qu'on l'appelle Love Park, j'imagine.

Je levai les yeux sur la structure cubique composée de quatre lettres géantes en acier : un grand L et un O incliné, surmontant un V et un E – d'inspiration très *sixties*.

– Tu pourrais peut-être te cacher derrière la sculpture, Chet, suggéra Frank. Nous, on fera le tour de la fontaine jusqu'à ce que Mister X se pointe.

Chet acquiesça, et s'accroupit au pied de la sculpture :

– Ça donne quoi, comme ça ? On peut me voir ?

– Pas si tu te tiens dans l'ombre, assura Frank. Reste planqué et garde l'œil sur nous. Tu as ton téléphone mobile ?

– Oui.

– OK. Il est pratiquement minuit. On y va, Joe.

Rapides et silencieux, nous nous dirigeâmes vers la fontaine. Les lumières de la ville irisaient l'eau jaillissante, et de petites lueurs oranges et bleues se réfractaient sur la place. Nous nous arrêtâmes près du rebord circulaire.

Je regardai de l'autre côté de la rue pour voir s'il y avait quelqu'un sur le trottoir.

« Où es-tu, Mister X ? Nous sommes prêts. Montre-toi et entame la partie. »

Pas âme qui vive. On n'entendait aucun son – à l'exception du gargouillis des jets d'eau.

– Ça ne me dit rien qui vaille, chuchotai-je. On nous a tendu un piège, Frank.

– Restons ici, c'est tout. Il est presque minuit.

Nous fîmes le tour de la fontaine lentement, avec calme, jusqu'à l'autre extrémité de la place. Un roulement de tonnerre gronda dans le ciel.

– On fait demi-tour, décréta soudain Frank. Revenons sur nos pas.

– Pourquoi ?

– La fontaine bouche la vue. Chet ne peut pas nous distinguer, de là où il est.

Nous ne voyions pas Chet non plus. En revanche, nous l'entendîmes :

– Frank ! Joe !

Il semblait lutter contre quelqu'un. Un cri strident traversa la place.

14. Surprise de choc

« C'est Mister X. Il est là ! »

Je partis à toutes jambes vers l'autre côté de la fontaine, avec Joe. Un éclair fulgurant inonda le parc.

— Chet, tiens bon ! hurla Joe. On arrive !

J'entendis quelqu'un s'éloigner en courant alors que nous sprintions vers la statue.

« Où est Chet ? »

Je distinguai à peine une forme obscure qui gisait dans l'ombre. Un nouvel éclair jaillit – révélant un corps inerte sous la sculpture.

— Chet !

Ce fut Joe qui le rejoignit le premier. Il s'agenouilla aussitôt et colla son oreille contre son torse.

— Il vit ! s'écria-t-il, d'une voix qui se répercuta à travers la place. Appelle les secours !

Je sortis mon mobile :

— Vite, aboyai-je, nous avons une urgence ! Un jeune a été blessé à JFK Plaza ! Sous la sculpture ! Envoyez une ambulance !

Je m'accroupis près de Joe pour examiner Chet.

— Je ne vois pas de blessure grave, annonçai-je. Il respire régulièrement.

Joe se leva et scruta la place. Un autre roulement de tonnerre retentit, plus fort que le précédent.

— L'orage va éclater, dit Joe. Et Mister X est sûrement quelque part par là, en train de nous observer.

Je reçus une goutte.

Un hurlement de sirène se fit entendre à un ou deux pâtés de maisons de distance, se rapprochant rapidement. Quelques secondes plus tard, je vis l'ambulance : elle dévala la rue, feux flashants, et se gara en bordure du trottoir. La portière s'ouvrit. Carter Bean jaillit du siège du conducteur et accourut vers nous.

Chet émit un gémissement. Il tourna lentement la tête, battit des cils et leva les yeux sur Carter. Ses pupilles s'écarquillèrent.

D'un bond, je m'interposai entre notre ami et le secouriste :

– Salut, Carter ! Ou faut-il vous appeler Mister X ?

Tonnerre et éclairs emplirent le ciel. L'orage allait éclater – et il s'annonçait gros !

En effet, la pluie se mit à crépiter, dense et drue. Mais, malgré le déluge soudain, personne ne bougea.

Carter Bean me jeta un regard noir :

– Qu'est-ce que tu racontes ? Tu as appelé les secours, me voici ! Tu as composé le 911, non ?

– Pas du tout. J'ai fait semblant. Je savais que vous arriveriez.

– Comment ? fit-il d'un air railleur. Quelle preuve en as-tu ?

– J'ai vu vos photos dans les articles de presse sur l'accident d'Ollie en 1990. On a beaucoup parlé de vous dans les médias, à l'époque, n'est-ce pas ? Comment disait un journal, déjà ? Ah, oui : « Une légende s'écroule. Un héros est né. »

– Et alors ? fit Carter, cillant sous la pluie cinglante. Dans notre profession, nous sommes tous des héros. On ne faisait que m'accorder la reconnaissance à laquelle j'avais droit.

– Possible. Mais un véritable héros n'agit pas pour la gloire. Il fait le bien parce qu'il est bon de le faire. Il ne prémédite pas de prétendus accidents… comme vous aux Big Air Games.

– Je le répète : quelles preuves as-tu ?

– Oh, ça va, hein ! Chaque fois qu'il y a eu un blessé, vous étiez sur place, prêt à jaillir de votre ambulance pour avoir la vedette.

Carter fourra les mains dans ses poches, l'air railleur :

– Cela ne prouve en rien que j'ai agressé qui que ce soit. Il s'agit d'une coïncidence.

– Et ça aussi, c'est une coïncidence ? fis-je, désignant son badge. Votre numéro d'identification est EMT7654. Or, en sens inverse, il se lit 4567TME. Le code dont vous vous êtes servi pour poster des menaces sur le site des sports extrêmes.

Il ricana :

– Tu te crois malin, hein ? Eh bien, je reconnais que je suis médusé par ton intelligence ! Complètement stupéfié ! Je veux te revaloir ça !

Il sortit de sa poche un pistolet électrique et le braqua sur ma gorge.

– Frank, attention ! hurla Joe.

Je me baissai très vite. La décharge passa au-dessus de ma tête dans un grésillement électrique, avec un petit éclair de lumière.

Carter lâcha un juron et porta une nouvelle attaque avec son arme. J'esquivai, mais mon genou heurta la base de la sculpture. Sous le choc, je tournoyai sur moi-même et m'écroulai.

Carter se dressa au-dessus de moi :

– Sois sage, prends ton médicament, dit-il, en baissant le pistolet vers mon épaule.

Joe lui fit un placage.

« Vas-y, Joe, coince-le ! »

Ils heurtèrent le ciment mouillé, roulèrent dans une flaque. Carter réussit à lever son arme entre leurs corps et visa mon frère en pleine face.

Je me relevai péniblement et tentai de les rejoindre. Je boitillais. De vives douleurs élançaient mon genou.

Le pistolet grésilla, émettant un bref éclair. Joe agrippa le poignet de Carter et lutta pour éloigner l'arme de son visage.

– N'aie pas peur, mon garçon, grogna Carter, rapprochant le pistolet. Ce n'est qu'une petite dose d'électrochocs.

Je continuai à clopiner vers eux – conscient de ne pouvoir arriver à temps pour sauver Joe. Je hurlai !

– Hé, Carter ! Attrape ça !

J'expédiai sur lui mon téléphone mobile, comme une balle de base-ball. L'appareil le heurta à l'oreille et renvoya d'un coup sec sa tête en arrière.

« Hors circuit ! »

Erreur, Carter Bean était toujours dans la course ! Bien qu'il ait dû relâcher Joe, il agrippait encore son pistolet électrique. Il se releva en quelques secondes, maniant l'arme de défense comme une épée.

Joe bondissait en arrière à chaque mouvement de bras de Carter. La pluie crépitait, de plus en plus drue. Mon frère faillit s'étaler par terre alors que Carter le forçait à reculer vers la fontaine. Il ricana :

– Attention ! Un accident est vite arrivé !

Je devais agir, et fissa ! J'avais horriblement mal au genou, mais je devais aider mon frère ! Je titubais derrière eux, à la lueur des éclairs.

– J'ai appelé les flics, Carter ! Ils arrivent ! criai-je.

Après une nouvelle attaque contre Joe, il brailla :

– Menteur ! Tu m'as bombardé avec ton mobile ! T'as oublié ?

Il fit crépiter le pistolet électrique près de la tête de mon frère qu'il refoula jusqu'au bord de la fontaine. Je leur courus après le plus vite possible, et réussis à parvenir juste derrière eux.

D'une clé du bras, j'agrippai le cou de Carter. Dans une volte-face éclair, il me flanqua un coup de pied dans le genou. Je m'effondrai à terre.

Mais Joe parvint à lui échapper. Il se déporta de côté, recula de quelques pas, puis chargea notre adversaire de toutes ses forces.

Carter fut plus rapide. Il balança sa main droite – le pistolet crachant des éclairs – vers le cou de mon frère. Lorsque Joe voulut bloquer ce geste, Carter, leva son poing gauche et le frappa à la mâchoire. Joe vacilla en arrière. Il s'écroula.

– Joe ! criai-je.

Mon frère ne bougea pas. Il paraissait inconscient. Carter se tourna vers moi, sourire aux lèvres, pistolet brandi :

– Les carottes sont cuites, Frank ! Si tu t'imagines me feinter, tu auras une surprise *de choc* !

Il avança sur moi. Je n'avais aucune chance de lui échapper. Mon genou me faisait souffrir. Quand je tentai de fuir en rampant, Carter marcha sur ma jambe, pour me clouer au sol.

De la pluie plein les yeux, je levai sur lui un regard d'impuissance. Le pistolet de Carter se dirigea vers mon crâne.

– Quel dommage ! ironisa le secouriste. On a beau se démener pour sauver des vies, il y a toujours des patients qui ne s'en tirent pas !

Le pistolet se rapprocha encore. Des étincelles électriques jaillirent du canon. Carter dirigea son arme vers mon cou et…

Blam !

Il fut expédié à la renverse.

Un éclair écarlate fila devant moi. Des roues dérapèrent sur le ciment mouillé. C'était Eddie Mundy sur sa planche !

Le skater au bandana rouge venait de percuter de plein fouet Carter Bean. Celui-ci, affalé sur le dos, gémissait.

— Eddie ! Que fais-tu ici ? demandai-je.

— Je ne suis pas ce que tu crois, dit-il en décrivant un cercle autour du secouriste à terre.

Il allait se lancer dans une explication, mais je vis bouger Carter. Il n'avait pas lâché le pistolet !

Je hurlai :

— Attention, Eddie !

Carter visa la jambe du skater ; Eddie frappa son tail : le nez du skate fusa vers le haut et heurta brutalement le bras armé, assommant Carter. Le pistolet alla valser dans la fontaine.

— Joli coup ! approuvai-je.

Eddie m'aida à me remettre debout. Je dus m'appuyer sur lui — mon genou me faisait mal, et mes vêtements trempés semblaient peser une tonne. Je regardai mon frère. Redressé sur son séant au beau milieu d'une flaque, Joe se frottait la mâchoire, sourire aux lèvres.

— On l'a eu ? demanda-t-il.

– Oui. Eddie a skaté sur lui comme sur une rampe.

– Eddie ?

Le skater tendit une main à Joe pour l'aider à se relever :

– Je suis un agent d'ATAC, exactement comme vous.

– Dingue ! s'écria Joe. On te prenait pour un danger ambulant, figure-toi ! Tu nous as menacés, aujourd'hui.

– C'était une mise en garde ! spécifia Eddie. Au siège d'ATAC, ils craignaient que vous ne soyez les prochaines cibles de Mister X.

– Apparemment, ils avaient raison, dit Joe. Hé, au fait, où est la nounou déjantée ?

Nous fîmes volte-face, Eddie et moi. Carter Bean n'était plus là.

– Salut, les gamins ! ricana sa voix de l'autre côté de la fontaine. Je dois partir, j'ai une urgence !

Carter se précipita vers son ambulance. Eddie s'élança à sa poursuite, Joe et moi titubant derrière lui.

« On ne pourra jamais le rattraper. »

J'entendis alors un bruit étrange : un roulement de plus en plus fort semblait envahir la place. Soudain, une bande de skaters jaillit des ténèbres, dévalant les marches, franchissant les bancs, sautant les trottoirs. Ils foncèrent sur Carter Bean et l'encerclèrent. Cette véritable barrière vivante, se resserrait si vite que le prisonnier ne pouvait fuir.

— C'est Jenna ! s'exclama Joe. Et ses copains ! Ils ont dû nous suivre !

Au même instant, une escouade de voitures de police dévala la rue dans un hurlement de sirènes, et s'arrêta en bordure du trottoir. Une bonne douzaine de policiers en surgit. Le plus grand nombre se rua en direction des skaters afin de rompre l'encerclement et d'appré-hender le suspect. Deux d'entre eux coururent porter secours à Chet, au pied de la sculpture ; les autres s'approchèrent d'Eddie, Joe et moi.

— Ça va, les garçons ? nous demanda un grand flic. Désolé d'avoir mis tant de temps à localiser cette ambulance volée.

— Une ambulance volée ? m'étonnai-je.

L'officier expliqua :

— Nous voulions interroger Carter Bean. Quand nous sommes allés le chercher à l'hô-pital, ils se sont aperçus qu'il manquait à l'appel, et qu'une ambulance avait disparu.

Chet se rapprocha de nous. Il semblait sous électrochoc – sans mauvais jeu de mots ! Il demanda :

— Comment se fait-il que la police soit déjà là ?

– Ce n'est pas toi qui les as appelés ? s'étonna Joe.

– Non, je n'ai pas pu. Un type armé d'un pistolet électrique m'a sauté dessus. Il a dû me piquer mon mobile.

– Alors, qui les a prévenus ? fis-je.

– Moi, énonça une voix derrière nous.

C'était Maxwell Monroe. Le reporter s'avança en souriant.

– J'avais des raisons de soupçonner Carter, nous dit-il. Après l'assassinat d'Ollie, j'ai épluché tous les articles que nous avions publiés sur lui, dans nos archives. J'ai vu que Carter Bean était le héros médiatique qui avait sauvé la jambe d'Ollie, ça a éveillé mes soupçons. Mais c'était insuffisant pour un article à la une. Alors, j'ai suggéré aux policiers d'interroger ce type. Vous lirez ça dans notre édition de demain.

Un tas de questions se bousculaient dans mon esprit. Je n'eus pas le loisir de les poser. Tandis que deux policiers lui passaient les menottes, Carter Bean s'était mis à hurler :

– Hé, vous me faites mal ! Vous me faites mal !

– Tu veux un conseil, Carter ? lui lançai-je. Appelle le Samu !

15. Héros

OK, on avait capturé le méchant ! Mister X était derrière les barreaux. Les Big Air Games remportaient un énorme succès. Nous avions accompli notre mission.

J'étais pourtant tout à fait perplexe. Pourquoi Ollie avait-il été empoisonné ? Pourquoi Carter ne lui avait-il pas sauvé la vie, comme aux autres ?

— Peut-être qu'Eddie Mundy peut nous l'expliquer, suggéra Frank.

Nous nous levâmes tôt, le lendemain, et nous faufilâmes hors de notre chambre d'hôtel pendant que Chet dormait encore. Nous avions convenus de rejoindre Eddie pour un déjeuner

173

tranquille, afin de discuter des détails de l'affaire. Il nous attendait.

– Salut, Eddie ! fis-je. Tu as une sacrée allure, dis donc !

Sans son bandana rouge, Eddie n'était plus le même. Il était coiffé avec soin, et avait remplacé son attirail de skate par une chemise et un pantalon kaki.

Moi, j'avais toujours mon iroquoise, et Frank, ses cheveux bleus.

– Salut, Frank et Joe ! nous dit-il pendant que nous prenions place dans le box. Je vous dois des excuses, les garçons. Je pensais vous avoir fait comprendre que j'étais un agent d'ATAC après vous avoir lâché mon allusion.

– Quelle allusion ? voulus-je savoir.

– À FDR Park, quand je vous ai dit qu'il était « extrêmement dangereux » de poser des questions. Je faisais allusion au nom de code de votre mission. Vu votre mine, j'ai cru que vous aviez compris.

– En fait ça m'a rendu soupçonneux ! Et toi, Frank ?

– Pareil. Mais maintenant tout s'éclaire.

Nous interrogeâmes Eddie sur le meurtre d'Ollie Peterson. Nous nous demandions en quoi il différait des autres agressions. Pourquoi Carter avait-il voulu la mort d'Ollie ?

– Notre thèse, commença Eddie, est qu'Ollie en a voulu à Carter d'être devenu un héros « grâce » à son accident de 1990. Certains journaux mentionnaient à peine les trophées d'Ollie et sa réputation dans le monde du skate. Ils se focalisaient sur le jeune secouriste plein de ressources frais émoulu de l'école, issu des milieux pauvres de Philly, qui travaillait la nuit pour payer ses études de médecine... le héros de tous les jours qui avait sauvé un homme et, de plus, était photogénique !

Nous hochâmes la tête.

– OK. Des années plus tard, Ollie possède une boutique de skate, et a sans doute oublié le jeune homme que sa propre tragédie a rendu célèbre. Or, voilà qu'il achète le *Freedom Press*, et que voit-il ? Le même secouriste – redevenu le héros du jour. Que fait-il ? Eh bien, en examinant ses factures téléphoniques, nous avons constaté qu'il s'était procuré le numéro de Carter aux renseignements. Il l'a appelé, et lui a parlé une ou deux minutes avant de joindre le *Freedom Press*.

– Maxwell Monroe nous a appris qu'Ollie lui avait laissé un message au bureau, glissa Frank. Pour lui parler de Mister X.

– Ollie soupçonnait Carter Bean, c'est clair, poursuivit Eddie. Nous pensons qu'il lui a téléphoné pour l'interroger, l'accuser, ou tout simplement l'asticoter. Quoi qu'il en soit, Carter a pris peur : il fallait réduire Ollie au silence. Alors, il a volé une drogue à l'hôpital et s'est arrangé pour en verser une dose mortelle dans le café d'Ollie.

— OK, fis-je, ça explique le meurtre d'Ollie. Mais comment avez-vous su que nous devions rencontrer Mister X à minuit à Love Park ?

— Je vous ai suivis. J'étais même au club, hier soir. Votre copain Chet a la danse dans le sang, dites donc !

— Le mystérieux motard en noir, c'est aussi lui, ajoutai-je.

— Cette course poursuite était démentielle, commenta Eddie en riant. Quand je vous ai vus entrer dans le Monster Loop, j'ai paniqué !

— Ah, parce que c'est *toi* qui as paniqué ? lâcha Frank.

Je revins à la charge :

— Et Jenna et ses amis, alors ? Ils se sont dispersés à l'arrivée de la police. Mais comment sont-ils arrivés là ?

— Tu le demanderas directement à Jenna, fit Eddie avec un sourire en coin.

— J'en ai bien l'intention !

Nous parlâmes encore un peu d'ATAC et de quelques-unes de nos missions. Lorsqu'il fut temps de nous quitter, Eddie sortit un paquet de sous la table :

— Un petit souvenir pour vous, les garçons !

Il fit glisser la boîte vers nous. J'éclatai de rire en voyant l'emballage : la une du *Philadelphia Freedom Press*. Le titre proclamait : MISTER X DÉMASQUÉ ! UN SECOURISTE FOU ARRÊTÉ PAR UN DUO CASSE-COU. Il y avait une photo de Carter menotté, une de Frank et de moi poursuivant Chet dans le Monster Loop.

— Ouvrez, dit Eddie.

Nous arrachâmes le papier, et nous esclaffâmes de plus belle. Eddie nous offrait une trousse de premiers secours bourrée de pansements !

— Je l'ai trouvée sur le trottoir, près de l'ambulance de Carter, hier soir, expliqua-t-il.

Après l'avoir remercié pour ce souvenir, nous repartîmes à l'hôtel et grimpâmes en hâte dans notre chambre, pressés de faire nos bagages et de partir.

Nous avions presque oublié Chet ! Il était toujours endormi — en train de ronfler et de marmonner. Trop drôle. Je ne résistai pas à l'envie de me payer… sa tête. Je tirai une longue bande de gaze de la trousse de premiers secours, et la nouai autour de son crâne en formant un grand nœud. Frank lâcha :

— On devrait le réveiller, non ? On ne va pas le laisser là comme ça !

— Mais regarde-le, il dort comme un bébé !

— Et il est si mignon !

Nous nous faufilâmes dans le couloir, en essayant de ne pas rire trop fort. Puis sac à dos et casque en main, nous prîmes l'ascenseur. Jenna nous avait laissé un message : elle nous attendrait à la réception à dix heures – avec une surprise. En bas, nous la trouvâmes assise sur les marches avec Jebediah Green.

— Salut, Jeb ! m'écriai-je. Comment te sens-tu ?

Il sourit :

— Pas si mal. Juste un peu courbatu. Et comment va le duo casse-cou ?

Frank se massa le genou avec une grimace la grimace :

— Juste un peu courbatu. Merci pour tes articles, au fait ! Ça nous a aidés à comprendre qui était Mister X.

— Le « secouriste fou »…, fit Jeb, exhibant un numéro du *Freedom Press*. Il est vraiment cinglé, ce type !

Pendant que Frank et Jeb rigolaient en lisant les gros titres, je pris Jenna à part pour lui dire au revoir. Nous échangeâmes nos adresses mail et nos numéros de fixe et nous jurâmes de rester en contact. Je lui promis de lui rendre visite à Atlantic City avant la fin de l'été. Frank nous interrompit : nous devions nous mettre en route.

Je regardai Jenna dans les yeux. Je n'avais pas du tout envie de la quitter !

– Dis-moi juste une chose. Pourquoi m'as-tu suivi à Love Park avec tes copains ?

– Parce que je sentais que tu allais au-devant du danger, et que je voulais t'aider. Parce que je tiens à toi.

– Bonne réponse, fis-je avec un sourire.

« Super, elle tient à moi ! »

Frank s'éclaircit la gorge :

– Faut qu'on y aille.

Jenna m'embrassa sur la joue, et étreignit Frank. Nous saluâmes Jeb, puis nous dirigeâmes vers le parking. Je remarquai que Frank était plus silencieux que de coutume. Je lui demandai ce qu'il avait. Il haussa les épaules :

– Je n'en sais rien. Peut-être que je suis un peu jaloux. Je veux dire : notre mission est finie, et toi, tu as une nouvelle copine – une fille super belle et grande championne de skate. Alors que moi, qu'est-ce que j'ai ?

– Un perroquet qui t'attend à la maison, Frank !

Il ébouriffa mon iroquoise.

La balade de retour à la maison était agréable – une vraie détente après les extrêmes dangers de notre mission. Sous le ciel bleu et clair, nos motos semblaient ravies – si, je vous jure ! – de se lâcher sur l'autoroute. Au bout de deux heures de route à peine, nous faisions vrombir nos moteurs dans notre ville natale, dans notre rue.

La Coccinelle de tante Trudy était dans l'allée, l'air flambant neuve. Papa avait dû l'emmener au lavage après révision. J'étais content que les réparations soient déjà faites. Pour rigoler, nous garâmes nos motos juste derrière la Volkswagen, bloquant le passage. Histoire de mettre tante Trudy un peu en rage.

– Ah, enfin la maison ! chantonna Frank en retirant son casque.

– On dit la « baraque », Frank ! Sois moderne, quoi !

J'ôtai mon casque et le suivis sur la véranda.

Notre bonne vieille maison n'avait pas changé.

Frank et moi, en revanche…

Quand elle nous vit, maman poussa un cri.

– Bonté divine ! Mais qu'est-ce que vous avez fait à vos cheveux, les garçons ? Frank ! Tu es tout bleu !

Traversant le séjour, Frank l'embrassa.

— Toi aussi, tu te teins les cheveux, maman !

— Jamais de la vie !

— J'ai très bien vu que tu commences à grisonner !

— Certainement pas ! Je n'ai aucun cheveu gris. D'ailleurs, si c'était le cas, je ne les teindrais pas en bleu. En vert, peut-être… mais en bleu, jamais ! Et regarde-toi, Joe ! Depuis quand te crois-tu dans les années quatre-vingt ? C'est terminé, les bandes de punks. Ça ne se porte plus du tout, les iroquoises !

— Bien sûr que si, M'man ! La preuve : ton fils en a une ! affirmai-je en l'embrassant à mon tour.

Dans son fauteuil, papa riait. Il était toujours heureux de nous voir rentrer sains et saufs après une mission — et toujours un peu tourmenté aussi.

— Bon retour au foyer, les garçons ! nous dit-il. J'attends avec impatience que tante Trudy vous voie.

— Où est-elle ? m'enquis-je.

Il leva les yeux au ciel.

— Il pourrait vous prendre l'envie de repartir sur vos motos pour visiter un peu le pays pendant quelque temps.

Frank s'enquit :

— Pourquoi ? Que se passe-t-il avec tante Trudy ?

— Demande-le donc à ton perroquet!
répondit maman en éclatant de rire.

À cet instant précis, un cri à glacer le sang
retentit à l'étage, accompagné par des batte-
ments d'ailes.

— Bas les pattes, oiseau de malheur! hurla
tante Trudy. Retire tes sales griffes et lâche-
moi, espèce de malpropre! Ouste, va-t'en!

Playback descendit en vol plané dans l'escalier, puis voleta dans le salon. Il en fit trois fois
le tour, criailla, et atterrit sur le crâne de Frank
— sur ses cheveux bleus.

— Playback! Ne me décoiffe pas! Je viens
juste de mettre du gel! protesta Frank.

Il attrapa le perroquet et le posa sur le
manteau de la cheminée.

Un pas se fit entendre dans l'escalier. Nous
nous retournâmes, prêts à accueillir tante Trudy.

— J'en ai plus qu'assez! marmonnait-elle.
Les garçons ont intérêt à rapporter une cage
pour ce démon ailé, ou bien je...
AAAAAAAH!!! Arrière, ou je vous jure que je
vous écrabouille! Je connais le judo!

Elle agita les bras en l'air à grands mouve-
ments furieux.

— Tante Trudy, c'est nous! se marra Frank.

Elle s'arrêta de gesticuler et nous scruta en
plissant les paupières.

— Je le savais parfaitement! Je... c'était juste pour rire.

Elle lissa son chemisier et nous serra dans ses bras :

— Vous n'avez pas oublié mes pansements, j'espère?

Je fouillai dans mon sac à dos et lui remis la trousse de premiers secours offerte par Eddie.

— Oh! Très professionnel! s'écria-t-elle. Comme à l'hôpital! Merci beaucoup.

— De rien, répondis-je.

Frank m'adressa un coup d'œil et rigola. Nous nous apprêtâmes à monter à l'étage.

— Minute! fit tante Trudy. Je n'en ai pas terminé avec vous.

Elle s'éclipsa dans la cuisine, revint avec un seau d'eau savonneuse.

— Qu'est-ce que c'est que ça? demandai-je.

— «Ça», c'est pour nettoyer les saletés de votre fichu perroquet, expliqua-t-elle en nous tendant à chacun une éponge. Je vous l'avais dit que cet oiseau ferait caca dans toute la maison. Regardez! Là, sur la table! Et sur le tapis! Et... juste ciel! Il est en train de faire sur la cheminée!

Nous éclatâmes de rire en chœur.

— Ah, vous trouvez ça drôle? Eh bien, vous allez rire deux fois plus en lavant tout ça! s'exclama tante Trudy. Et, pendant que vous y êtes, vous pouvez aussi lessiver vos cheveux !

Frank et moi prîmes le seau, les éponges et commençâmes à récurer la cheminée. Que pouvait-on faire d'autre ?

Papa alluma la télévision.

– Hé, les garçons, vous avez vu ? Les Big Air Games !

En tournant la tête, nous aperçûmes la vidéo de nos voltiges dans le Monster Loop, suivies de la dégringolade de Chet à moto.

Maman secoua la tête :

– Il faut vraiment être fou pour faire des trucs pareils…

Je décochai un clin d'œil à Frank et protestai :

– Mais, M'man, c'est le Duo Casse-cou et leur copain Tomahawk !

– Je me moque de savoir qui ils sont ! Si on veut parler du véritable courage, hier j'ai vu un reportage aux infos sur ce secouriste qui a sauvé deux jeunes des sports extrêmes dans un skatepark. Voilà le genre de personnes dont le monde a besoin ! Les vrais héros !

Playback criailla :

– Héros ! Héros ! Héros !

Frank et moi échangeâmes un regard.

– Allons, du nerf, les garçons ! nous hous-

pilla tante Trudy. Ces fientes ne vont pas dispa-
raître toutes seules !

Nettoyer le pays de ses criminels ? Tout ce
que j'aime ! Nettoyer des fientes de perroquet ?
Pas vraiment ma tasse de thé. Mais bon, le
boulot, c'est le boulot !

Je jetai un coup d'œil sur la tignasse bleue de
Frank, souris et me remis à manier l'éponge.

Fin

Impression réalisée par

C P I
Brodard & Taupin

La Flèche
en décembre 2008

Imprimé en France
N° d'impression : 50029